모나크
나비

모나크 나비

초판 1쇄 발행 | 2020년 11월 25일
　　　2쇄 발행 | 2023년 8월 25일

지은이 | 김혜정
펴낸이 | 최윤정
만든이 | 유수진 김지윤
펴낸곳 | 바람의아이들
등록 | 2003년 7월 11일 (제312-2003-38호)
주소 | 03035 서울시 종로구 필운대로 116, 5층
전화 | (02) 3142-0495　팩스 | (02) 3142-0494
이메일 | barambooks@daum.net
제조국 | 한국
구독연령 | 11세 이상

이 도서는 한국문화출판산업진흥원의
'2020 우수출판콘텐츠 제작 지원' 사업 선정작입니다.

www.barambooks.net

ISBN 979-11-6210-097-4
ISBN 978-89-90878-04-5 (세트)

이 도서의 국립중앙도서관 출판예정도서목록(CIP)은 서지정보유통지원시스템 홈페이지(http://seoji.nl.go.kr)와
국가자료종합목록 구축시스템(http://kolis-net.nl.go.kr)에서 이용하실 수 있습니다.
(CIP제어번호 : CIP2020043377)

모나크 나비

김혜정 단편집

바람의아이들

차례

나를 기억해 줘

원숭이들이 풀피리를 불어 아침을 알렸다. 멀리 바다에서는 범고래가 뛰어오르고 인어가 몸을 드러냈다. 조금 전까지 천천히 흐르던 시간이 빛의 속도로 움직이고 안개가 빠른 걸음으로 달려왔다. 아침이면 으레 빛과 안개가 서로 몸을 뒤치는 것이 이곳의 기후였다. 하율은 새벽녘에 꾼 꿈을 떠올렸다. 수애가 안개 속으로 사라지는 것을 바라만 보는 꿈이었다. 잠에서 깬 뒤 줄곧 망망대해를 떠도는 기분이었다. '고백의 시간'까지는 아직 두 시간이 남아 있다. 하율은 그 전에 수애를 보고 싶어서 숙소를 나섰다. 사방에 안개가 자욱해서 바로 앞도 가늠하기 어려웠다.

부연 안개 속을 걸어 이곳에 당도했을 때의 일은 아직도 생생하다. 이전과는 다른 세계에 왔다는 걸 어렴풋이 알 수 있었다. 뱀처럼 구불구불한 길을 타고 산을 오르자 기암괴석이 수직 절리로 펼쳐지고, 유리처럼 투명한 얼음 난간들이 줄을 이었다. 무엇보다 산마루에 구멍이 뚫려 있었다. 그 구멍을 통과하자 하늘로 통하는 문이 보였다. 문 위쪽에 팻말이 걸려 있었다. '이곳에 오신 것을 환영합니다.' 문지기인 날개 달린 황금원숭이가 말을 걸었다. 이제 너는 과거로 돌아갈 수 없어. 앞으로 49일째가 되면, 이곳에 남을 것인지 '피안(彼岸)'으로 갈 것인지 선택해야 돼…….

이곳에 온 지 오늘로 47일째였다. 이틀 뒤에는 이곳에 남든 피안으로 떠나든 해야 한다. 이곳을 떠나 피안으로 가면 몸을 잃는 대신 과거 '차안(此岸)'에서의 아름다운 기억을 간직할 수 있다. 이곳에 남으면 몸은 가질 수 있지만 망각의 차를 마신 뒤 차안에서의 기억을 모두 잃게 된다. 같은 버스에 탔다가 사고를 당해서 온 가은과 기형은 피안에 가기로 했고, 수애는 이곳에 남기로 마음을 굳혔다. 수애를 만나기 전까지는 하율도 피안으로 갈 생각이었다.

하율에게는 아름다운 기억이 넘쳐 났다. 유치원 다닐 때 태권도 경기에서 이단옆차기로 상대를 누르고, 초등학교 5학년 때 재능발표회에서 사회를 보고, 생일이면 가족이 둘러앉아 초콜릿 케이크에 촛불을 밝혔다. 중학교 입학 선물로 받았던 자전거의 바퀴가 땅을 튕기는 감촉이라든지 친구들과 놀이동산에 가서 바이킹을 탈 때의 스릴, 컴퓨터로 게임을 할 때의 짜릿함은 잊을 수가 없었다. 근육을 만든다고 한 달 내내 닭가슴살을 먹었더니 입에서 닭고기 냄새가 나고, 개그맨의 춤을 따라 하다가 넘어지고, 축구할 때 승리 골을 넣었으나 인대가 끊어지고, 시험 보기 전날 장염에 걸리고……. 좋았던 일은 물론, 그렇지 않은 것마저도 행복한 추억으로 떠올랐다. 그런 기억들을 간직하지 못한 채 몸을 가지고 이곳에 남는 것은 의미가 없다고 생각해 왔다. 이렇게 마음이 흔들릴 거라고는 생각지도 못했다.

하율은 어디선가 수애가 불쑥 나타나 손짓하면, 두근거리는 가슴으로 수애를 향해 달려가는 걸 상상했다. 벌써부터 얼굴이 화끈거렸다. 그 모습을 누구에게 들킬까 봐 주위를 힐끗거리며 수애의 숙소를 향해 걸음을 옮겼다. 안개는 한 발짝도 물러서지 않았다.

수애의 숙소는 비어 있었다. 하율은 허탈한 심정으로 '기억의 집'을 향해 걸었다. 정오까지는 한 시간 남짓 남았지만 수애가 일찍 나와 있기를 내심 기대했다.

기억의 집에서는 각자 과거의 좋은 기억들을 이야기했다. 그 시간을 '고백의 시간'이라고 불렀다. 이야기를 나누다 보면 각자의 기억들이 서로에게 마중물이 되어 기억들이 주렁주렁 달려 나왔다. 그것들은 사신의 심판을 받은 뒤 피안으로 가져갈 수 있다. 오늘은 사신 앞에서 가장 아름다운 기억에 대해 이야기하는 날이었다. 그것은 다른 기억들에 비해 피안으로 가져갈 가능성이 높았다. 사신은 이곳 중간계에 존재하는 천사인데, 기억의 집에서 나눈 이야기들을 기록했다. 또한 그중에서 어떤 것을 피안으로 가져갈 것인지 정해 주는 집행관 역할도 했다. 천사의 징표인 커다란 날개와 기다란 수염으로 인해 근엄해 보였다. 막상 이야기를 나눌 때면 자상하게 상대의 마음을 어루만져 주었다. 하율은 오늘 수애가 무슨 이야기를 할지 궁금했다. 그동안 수애는 과거에 대해 한 번도 말하지 않았다. 무언가를 기억해 내려다가 멈추거나 기억났는데도 말하기 싫은 표정을 짓곤 했다. 그 모습을 보면서 하율은 누구도 침범할 수 없는 수애만의 세계가 있는 거라고 생각했다.

하율은 수애를 처음 봤을 때의 모습을 잊을 수가 없었다. 두 살 터울인 동생 하연과 또래로 보였는데, 열네 살이라고 하기에는 키가 작고 몸이 가냘팠다. 곱슬머리에 눈이 크고 피부는 까무잡잡한데 머리에 화관을 쓰고 있었다. 그럼에도 그림자처럼 희미하고 아슬아슬한 분위기를 갖고 있었다. 무엇보다 어깨 위에 파랑앵무새 한 마리가 앉아 있었는데 동생 하연이 보면 부러워할 거라는 생각이 들었다. 하연은 동물이라면 사족을 못 썼다. 강아지와 고양이, 청거북, 이구아나까지 길렀다. 이곳에는 팔색조와 카나리아, 개미핥기, 날개 달린 원숭이, 뿔 달린 하마를 비롯해 기이한 동물들이 넘쳐 났다. 위풍당당한 봉황이 참새처럼 조잘거리는 걸 알면 하연은 당장 오겠다고 할 거였다. 하지만 백 년쯤 지난 다음이라면 모를까, 그건 절대 안 되는 일이었다.

수애와 한번 마주친 뒤로는 자주 마주쳤다. 그때마다 서로 스치고 지나갔을 뿐 말을 주고받지는 않았다. 두 번째 마주쳤을 때 십분쯤 같이 걸었다. 하율은 말을 걸고 싶었지만 수애가 내켜 하지 않는 눈치여서 조심스러웠다. 사흘 뒤 수애와 다시 마주쳤다. 수애가 붉은 머리 왕개미에 손가락을 물려 울상을 짓고 있었다. 하율은 독을 빼기 위해 수애의 손가락을 빨아 주었다. 물론, 이곳에서는 그런 건 의미가 없었다. 다만, 그렇게 함으로써 수애를 안심시키고 싶었다. 다행히 수애가 안심하는 표정이었다. 어쨌거나 그 일을 계기로 자연스럽게 수애와 숲을 쏘다녔다. 하지만 대화다운 대화를 하게 된 것은 일주일쯤 지난 뒤였다.

그날 하율과 수애는 한 조로 그림을 그렸다. 수애가 스케치부터 색칠까지 단숨에 해내서 하율은 별로 한 게 없었다. 핏빛 하늘에 회오리치는 암청색 구름, 검붉은 잎들이 무성한 나무, 주변의 모든 것을 빨아들일 듯이 강렬한 색채. 금방이라도 날카로운 부리와 거대한 날개를 가진 새들이 날아들 것만 같은 화폭이었다. 그 화폭에서 귀를 찢는 바람 소리가 났다. 이내 나무는 머리를 풀어 헤치고 절규하는 사람으로 변신했다. 하율은 그 그림에 압도당해 아찔했다. 문제는 그다음이었다. 다 그려 놓은 그림에 수애가 물을 쏟았다. 옆에 놓인 물통을 보지 못한 거였다. 그 정도는 누구나 저지를 수 있는 실수인데 수애는 큰 충격을 받은 듯했다. 멍한 표정에 얼굴은 질려 푸른 기마저 돌았다. 그런 수애의 모습은 곧 사라질 그림자를 떠오르게 했다. 걱정할 거 없어. 그림은 다시 그리면 되잖아. 여기에서는 점수를 잘 받아야 할 이유도 없는걸. 하율의 위로에도 수애는 한동안 얼 나간 표정이었다. 미안해. 수애의 목소리가 떨렸다. 괜찮아. 아무 일도 아니야.

그날 이후로 서로 말을 트고 지냈다. 수애의 말수가 적어서 막상 나눈 이야기는 별로 없었다. 수애는 말이 아닌, 표정 혹은 몸짓으로 말하는 재주가 있었다.

희미하게 드리운 어둠을 뚫고 길게 뻗은 나뭇가지 사이로 호박색 해가 얼굴을 내밀었다. 기억의 집으로 꺾어지는 길목에 수애가 서 있었다. 나무에 가려 몸의 반만 보였다. 수애가 나를 기다린 걸까. 하율은 가슴이 뛰었다. 곧 수애가 하얀 이를 드러내며 모습을 드러냈다. 수애와 눈이 마주쳤다. 햇살을 복사해 내는 유리 같은 눈빛. 그런데 입술이 파리한 채 몸을 떨고 있었다.

"아파?"

"열이 조금 났어. 숲에 가면 나아질 거야."

수애는 숲을 좋아하고 숲의 치유력을 믿었다. 소개해 줄 사람이

12

있다고 수애가 말했다. 하율은 누구냐고 묻지 않았다. 수애의 말이라면 무조건 따르고 싶었다. 고백의 시간은 정오이고 그 전까지 돌아오면 될 테니까.

수애가 앞장서고 하율이 뒤따랐다. 숲으로 들어가 언덕을 오르기 시작했다. 무성한 나뭇잎이 흔들리는 소리를 들으며 곧게 뻗은 길을 걸었다. 거인의 손바닥만 한 꽃잎들이 주홍과 보라, 자주로 색을 바꿔 가며 숲의 구석구석을 메웠다. 흩날리는 꽃잎들이 시야에 가득 찼다. 어떤 꽃잎들은 저만치 멀어졌다가 돌아오고, 다시 떠나기를 반복했다. 꽃잎이 어깨에 내려앉으면 하율은 갑옷을 입은 느낌이었다.

작은 오두막 앞에서 수애가 멈춰 섰다. 문을 두드리자 덩치가 크고 머리가 하얗게 센 아저씨가 나왔다.

"화가 선생님이야."

수애가 소개했다. 하율은 그를 향해 고개를 숙여 인사했다.

"얘는 제 친구 하율이예요."

"어서 들어와라."

그가 눈을 찡긋하며 반겨 주었다.

오두막 안에는 꽃물이 채 마르지 않은 캔버스가 비스듬히 세워져 있었다. 나무를 구워서 만든 목탄과 새의 깃털로 만든 붓을 비롯한 화구들이 바닥에 나뒹굴었다. 벽면은 온통 남녀의 나신들을 그린 그림으로 채워져 있었다.

"선생님은 팔십 년 전부터 여기에서 사셨대."

"그래, 그랬지. 여기서는 나이를 먹지 않으니까 그때 모습 그대로야. 더 이상 늙지 않는다는 건 고마운 일이지. 시간의 밖에 존재한다는 거 말이다."

그가 더 궁금한 게 있으면 뭐든 물어보라고 했다. 하율은 이곳에 남은 걸 후회한 적은 없냐고 물었다.

"후회? 난 지금 아주 만족스럽단다. 기억은 물론이고, 욕망이 없거든."

그가 웃음을 지으며 차분한 어조로 계속했다. 차안에서는 남보다 앞서려는 욕망, 더 많이 가지려는 욕망을 가졌지만 이곳에서는 그런 욕망들이 필요 없단다. 누구나 평등하지. 모두 자연에 기대어 지내고 차츰 자연을 닮아 간단다. 결국 인간도 자연의 일부라는 걸 깨닫게 되지. 도둑이나 강도, 심지어 살인을 저지른 사람도 더 이상 위험하지 않았다. 욕망도 기억도 없는, 비어 있는 존재이기 때문이었다. 또 이곳에서는 모두가 자유로웠다. 물론, 두려움도 없었다.

"아름다운 기억들을 잃어버린 게 슬프지는 않나요?"

"그럴 리가. 전혀 생각이 안 나거든."

"자신이 누구였는지, 어떤 사람이었는지 궁금하지 않으세요?"

"어차피 지금의 난 과거의 내가 아닌데 궁금하긴. 다만, 내가 그림을 그리는 사람이었다는 걸 알고 있단다."

그가 스케치북을 펼쳐 보였다. 그는 피안으로 가지 않고 이곳에 남겠다고 결심한 뒤 머릿속에 떠오르는 것들을 그려 두었다. 그 덕에 이곳을 선택하기 전의 일들을 기억할 수는 없지만 그 그림들을 보고 자신이 어떤 사람이었는지 짐작할 수 있었다. 기억은 그 정도로 충분했다.

"기억나는 것들을 글로 적어 놔도 될까요?"

"난 글재주가 없어서 글로 쓰진 못했다만, 그러면 더 좋겠지."

하율은 수애와 함께 있을 수만 있다면 뭐든 하고 싶었다.

"왜 피안으로 가지 않고 이곳을 선택하셨는지 여쭤 봐도 돼요?"

"과거는 과거에 불과할 뿐이거든. 기억이라는 것도 돌아보면 마음만 아플 뿐이야. 그리움 때문이지. 그러니 썩 좋은 게 아니라는 생각이 들었단다. 기억들을 내려놓는 순간, 편안해졌어. 이보다 더 좋을 순 없지."

그가 계속했다. 몸이 없는데 기억이라는 게 다 뭐란 말이냐. 몸을 가지고 현재를 살아가는 게 낫지. 봐라, 그림을 그릴 수도 있고, 악어나 코끼리도 만질 수도 있고, 이렇게 너희들하고 얘기도 할 수 있지 않냐. 피안에 가면 아무것도 할 수 없을 텐데…… 느낄 수 없다면 아무것도 아니지. 아름다운 숲과 호수, 나무도 만질 수 없다면 다 뭐란 말이냐.

"저는 아름다운 기억이 몸보다 더 소중하다고 생각해요."

"물론, 하율이 네 말도 맞다. 하지만 나무는 나무의 몸이 있기 때문에 나무인 거 아닐까? 나무가 없는 나무의 혼을 어떻게 나무라고 할 수 있지? 꽃도 그렇고 새도 그렇고. 네 몸이 없는데, 몸이 없는 너를 너라고 할 수 있을까?"

그의 말이 깊은 여운을 남겼다. 하지만 하율에게 선택은 여전히 어려웠다.

숲의 안쪽으로 들어갈수록 바람이 세어졌다. 나뭇잎들이 스치는 소리도 더 커졌다. 그 소리를 따라 새들이 날아올랐다. 하율은 멈춰 서서 새들을 바라봤다. 저 새들은 엄마와 아빠, 동생이 있는 차 안에 가둘 수 있을까. 왠지 그럴 것만 같았다. 순식간에 새들이 사라지고 새들이 날아간 길 또한 흔적이 없었다. 가슴에 구멍이 나고 찬바람이 들어차는 느낌이었다. 수애와 함께 있는 것만이 위로가 되었다.

언덕을 올라가자 사방이 구름이었다. 구름이 층층이 산을 에워 쌌다. 하율은 마치 구름 위에 떠 있는 기분이었다. 수애와 함께라면 언제까지라도 이렇게 있고 싶었다. 얼마쯤 지나자 다시 숲이 펼쳐졌다. 수애와 함께 숲의 일부가 된 느낌이었다. 이곳에서는 모두 자연에 기대어 지내고, 차츰 자연을 닮아 간단다. 인간이란 자연의 일부라는 걸 깨닫게 되지. 화가 아저씨의 말처럼 자연을 닮아 가는 것도, 그래서 자연이 되는 것도 괜찮을 것 같았다. 유난히 크고 잎이 무성한 나무 앞에서 수애가 멈춰 섰다.

세찬 바람이 나뭇가지를 때리고 지나갔다. 짙은 초록의 나뭇잎들이 사방으로 흩어지면서 숲을 뒤흔들었다. 수애가 하늘을 향해 양팔을 쭉 뻗은 채 나무 주변을 돌았다. 수애가 마치 한 그루의 나무가 되어 춤을 추는 것 같았다. 주변의 작은 나무들도 덩달아 빙글빙글 돌기 시작했다. 수애는 정말 나무가 된 걸까. 거대한 날개를 가진 새들이 수애의 머리 위로 날아들었다. 새들이 저마다의 목소리로 노래하며 수애를 감싸 안았다. 새들의 외침이 하나의 리듬을 이루었다. 더 이상 수애의 모습은 보이지 않았다. 리듬이 점점 빨라지고 나무의 움직임도 덩달아 급박해졌다. 핏빛 하늘에 회오리치는 암청색 구름, 그리고 절규! 수애가 그린 그림 속의 나무였다.

고백의 시간이 가까워지고 있었다. 수애가 발길을 돌렸다. 하율은 숨을 고른 뒤 수애의 뒤를 따랐다.

가은과 기형은 곧 피안으로 갈 기대에 부풀어 얼굴이 상기되어 있었다. 사신이 예의 그 자상한 미소로 맞아 주었다. 오늘따라 그의 날개와 수염이 더 근사해 보였다.

"오늘은 가장 아름다운 기억을 말해야 한다. 자, 누구부터 하겠느냐?"

가은이 먼저 손을 들었다.

"전 오빠가……."

가은에게는 두 살 많은 오빠가 있었다. 오빠는 가은의 말이라면 뭐든 들어주었다. 맛있는 음식을 가은에게 밀어 주고 어려운 문제를 함께 풀어 주었다. 가은이 떼를 쓸 때마저도 미소로 감싸 주었다. 중학교 1학년 때까지만 해도 공부도 잘하고 성격도 좋았다. 가족에게는 자랑이었고 학교에서도 인정받았다. 그런데 어느 날부터인지 친구는 물론, 가족과도 담을 쌓았다. 집 안에 틀어박힌 것도 모자라 방문을 걸어 잠갔다. 사나흘에 한 번씩 모두 잠든 시간에 거실에 나와 컵라면으로 끼니를 때웠다. 가은은 오빠에게 왜 그러냐고 물었다. 오빠가 가은을 밀어뜨리고는 훌쩍 집을 떠났다. 가은은 오빠가 그렇게 되기 전까지는 행복했다. 그 기억을 피안으로 가지고 가면 오빠가 예전의 모습으로 돌아올 거라고 믿었다.

하율은 이곳에 온 날을 떠올렸다.

그날은 온 가족이 아빠를 따라 낚시터에 갔다. 하율은 밤낚시가 좋았다. 고요한 호수에서 찌불이 흔들리는 걸 보면 가슴속에서 은빛 물결이 출렁거렸다. 머릿속에서는 신비로운 세상이 펼쳐졌다. 또 낚싯대를 던지면 자신이 물속에 던져진 느낌이었다. 물고기가 되어 먼 바다를 유영하는 상상은 그 자체로 즐거웠다. 아빠, 저는 커서 낚시하는 사람이 될래요. 그래? 멋진 꿈이구나. 아빠가 말했다. 너를 낳기 전에 꿈을 꿨는데 오색비늘이 찬란한 잉어를 잡았어. 근데 그 잉어가 노래를 하는 거야. 그 노래가 얼마나 아름답던지, 난 네가 노래하는 사람이 될 거라고 생각했어. 그래서 이름도 하율이라고 지었지. 엄마가 말했다. 오빠는 노래하는 낚시꾼 하면 되겠다. 하연이 맞장구쳤다. 난 물고기가 될 거야. 물고기, 왜? 바닷속을 실컷 구경하고 싶거든. 구경 다 하고 나면 오빠가 나를 낚싯대로 잡아 올려 줄 거지? 하연의 말에 한바탕 웃음이 터졌다. 순간, 잔잔하던 호수가 커다란 소용돌이에 휘말렸다. 이내 배가 기우뚱하더니 뒤집혔다.

배가 뒤집히기 전으로 돌아갈 수만 있다면 어떤 대가라도 치를 텐데. 하지만 그건 불가능한 일이었다.

기형은 쭈뼛거리다가 입을 떼었다. 여자 친구가 있었는데요, 하고는 말끝을 흐렸다. 모두 호기심에 찬 눈으로 기형을 바라봤다.

"키스를……."

기형은 딱 한 번 여자 친구와 키스했는데 그때가 가장 행복했다. 입술과 입술이 맞닿았을 때 몸이 점점 부풀어 올랐다. 그걸 여자 친구에게 들키면 죽어 버려야지 했다.

모두 킥킥거렸다. 기형의 얼굴이 새빨개졌다.

다음은 수애 차례였다. 수애는 무심한 표정이었다.

"아침마다 엄마가 저를 무릎에 앉히고 머리를 땋아 주셨어요."

수애가 먼 데 시선을 둔 채 계속했다.

머리를 땋아 준 뒤 엄마는 수애를 안아 주었다. 울 수애처럼 착한 애는 없지. 넌 엄마가 받은 가장 큰 선물이야. 엄마한테 와 줘서 고마워. 엄마는 수애가 화분을 넘어뜨리거나 가방을 잃어버려도, 친구와 다투었을 때마저도 꾸중하지 않았다. 심지어 말대꾸를 하거나 반항을 해도 가만가만 다독이고 바로잡아 주었다. 수애는 다시 태어나도 같은 엄마를 만나고 싶었다.

책을 읽는 것처럼 높낮이가 없는 어조였다.

이제 각자 숙소로 돌아가서 최후의 선택을 하기 위해 자신을 돌아볼 시간이었다. 선택은 오로지 본인의 몫이다. 사신이 말한 뒤 자리를 떴다. 가은이 기다렸다는 듯이 수애에게 왜 이곳에 남으려 하냐고 물었다.

"언젠가는 엄마도 이곳으로 오실 거잖아. 난 엄마를 꼭 보고 싶어."

"네 기억이 소멸되면 엄마가 오셔도 알아보지 못할 거야."

"난 못 알아봐도 엄마는 나를 알아보시겠지. 엄마는 내가 보고 싶어서 밤마다 내 꿈에 오시거든."

"하지만 네가 알아보지 못한다면 무슨 소용이지? 엄마가 너를 안아 줘도 넌 아무것도 느끼지 못할 텐데."

그러니까 피안으로 떠나는 게 낫지 않겠냐고 가은이 덧붙였다.

수애가 고개를 저었다.

하율은 아이였을 때부터 이곳으로 오기 전까지 자신이 얼마나 변화했는지 떠올렸다. 차안의 사람들은 지금 이 순간에도 변화하고 있을 거였다. 할머니가 된 엄마와 할아버지가 된 아빠, 어른이 된 하연의 모습을 상상하자 기분이 야릇했다. 무엇보다 이제 더는 만날 수 없고, 만난다고 해도 알아볼 수 없다는 걸 받아들여야 하다니. 이렇게 될 줄 알았더라면 가족들에게 더 잘하는 건데. 후회가 되면서 콧잔등이 시큰했다.

"넌 왜 하필 키스한 기억을 가져가려고 하냐?"

가은의 목소리에 가시가 박혀 있었다.

"키스가 뭐 어때서?"

"부끄러웠다고 했잖아? 여친한테 들키면 죽어 버려야지 했다며?"

"그땐 그랬는데, 이제 다시 키스할 수도 없잖아."

가은이 기형에게 그런 거나 밝힌다고 비아냥거렸다. 기형이 가은에게 경험을 못 해 봤으니까 그런 말을 하는 거라고, 알지 못하면 말도 하지 말라고 맞받았다. 둘은 계속 티격태격하면서도 어깨를 나란히 하고 걸었다.

하율은 수애와 헤어지기 싫어서 머뭇거렸다. 수애도 자리를 뜨지 않았다.

"너한테 할 말이 있어."

수애가 하율을 뚫어져라 바라봤다. 하율은 수애와 눈이 마주치는 순간, 얼굴이 달아올랐다. 그걸 숨기려고 얼른 눈을 돌렸다. 수애가 하율의 손을 잡았다. 하율은 열이 나는 것처럼 온몸이 뜨거워지는 걸 느꼈다. 몇 걸음 걷지 않아서 수애가 콜록거리기 시작했다. 널따란 바위 앞에서 하율은 수애에게 쉬었다 가자고 했다.

햇살이 나무들 사이로 빠져나와 머리 위를 비추었다. 바람이 연방 휘잉 소리를 냈다. 수애의 입에서도 바람 소리 같은 신음이 흘러나왔다. 얼굴은 차가운 물속에서 방금 나온 것처럼 창백했다.

"피안에 가면 몸이 소멸되니까 아프지도 않을 텐데 왜 여기에 남으려고 해?"

하율이 묻자 수애가 하율을 바라봤다. 하지만 하율 너머 어딘가 다른 곳을 보고 있는 눈빛이었다. 하율은 묻지 말았어야 했다는 후회가 밀려왔다.

"내가 괜한 걸 물었다면 미안해."

"아냐, 나도 너랑 같이 떠나고 싶어. 근데 떠날 수가 없어."

"왜?"

"난 피안에 가져갈 기억이 없거든."

"아까 엄마에 대해 좋은 기억을 말했잖아."

"거짓말이야."

수애는 엄마 얼굴을 한 번도 본 적이 없었다. 태어나자마자 시설에 버려졌는데 여섯 살 때 입양되었다. 하지만 양부모가 파산해서 파양됐고, 다시 시설로 돌아갔다가 또 입양되었는데 양아버지가 수애의 몸을 자꾸 만져서 집을 나왔다.

하율은 수애를 위로하고 싶었다. 너를 사랑해 준 사람이 있을 거다, 좋았던 기억이 분명히 있을 거다, 친구들과의 기억들을 떠올려 봐라, 두서없이 말했다.

"내가 여기에 온 건 혼자였기 때문이야. 아무도 나를 거들떠보지 않았어."

친구들은 수애의 몸에서 냄새가 난다, 전염병이 옮을 거다, 놀리면서 피했다.

하율은 가슴이 먹먹했다. 할 수만 있다면 자신의 좋은 기억들을 수애에게 나눠 주고 싶었다. 사신을 찾아가 사정이라도 해 보고 싶었다. 수애가 기침을 계속했다. 하율은 수애에게 등을 내밀었다. 수애는 머뭇거리다 하율의 등에 업혔다. 수애의 몸은 가벼웠다.

"난 내가 선택해서 이곳에 온 거야."

수애가 길에 쓰러져 있는데 아이들이 몰려와 침을 뱉고 돌멩이를 던졌다. 수애가 숨을 길게 내쉰 뒤 말을 이었다.

춥고 배가 고픈데도 수애는 자꾸 눈이 감겼다. 비몽사몽간이었는데 누군가가 자신을 흔들어 깨우고는 구급차를 불렀다. 응급실은 아수라장이었다. 간호사가 체온을 재고, 곧 의사가 왔다. 가슴에 무슨 기계를 연결하고 얼굴에 산소호흡기를 씌웠다. 이 학생 보호자분, 이 학생 보호자분 계세요? 의사와 간호사가 외쳤다. 하지만 옆에서 다른 사람이 의사와 간호사에게 빨리 와 달라고 소리치자 그쪽으로 달려갔고, 좀처럼 돌아오지 않았다. 수애는 점차 숨이 가빠 오는 것을 느꼈다. 모든 고통에서 벗어나고 싶었다. 가까스로 손을 뻗어 산소호흡기를 걷어 냈다. 차차 심장박동이 느려졌다. 기어이 심장이 멎는 것을 깨닫는 순간, 편안했다. 처음으로 느낀 편안함이었다.

수애가 너무 담담하게 말해서 사실이 아닌 것처럼 들릴 정도였다.

"모든 기억들이 빨리 머릿속에서 지워졌으면 좋겠어."

하율은 이제 얼마 안 남았다는 말을 차마 할 수가 없었다. 무엇보다 수애와 헤어지기 싫었다. 언제까지나 수애를 지켜 주고 싶었다. 그러기 위해서는 이곳에 남아야 한다. 머릿속에서 거미줄이 뒤엉긴 느낌이었다. 수애가 이제 걸어가겠다고, 내려 달라고 했다. 수애를 내려 주고 나자 하율은 몸에서 뭔가가 빠져나간 것처럼 허전했다.

"넌 곧 여길 떠나겠지?"

수애가 물었다. 하율은 아직 결정하지 못했고, 그 이유가 수애 너 때문이라고 말하고 싶었다. 하지만 차마 입이 떨어지지 않았다. 수애가 또 기침을 하며 손으로 가슴을 부여잡았다. 하율은 수애에게 곧 괜찮아질 거라고 말했다. 수애는 고개를 끄덕였다. 하지만 희망을 갖지는 않는 표정이었다.

햇빛이 점점 옅어지더니 곧 저녁놀이 번져 왔다. 수애가 하율에게 노래를 불러 달라고 했다. 하율은 머쓱했지만 거절할 수 없었다.

푸른 하늘 은하수…… 은하수를 건너서 구름나라로 구름나라 지나선 어디로 가나 멀리서 반짝반짝 비치이는 건 샛별이 등대란다 길을 찾아라……

동요의 가사와 선율이 오늘따라 더욱 애잔했다. 하율은 차안에 있었다면 훗날 엄마 말대로 노래하는 사람이 됐을지도 모른다는 생각이 들었다. 발을 뗄 때마다 가족들과의 아름다운 기억들이 발에 밟혔다. 수애의 앵무새가 노래를 따라 불렀다. 수애가 앵무새의 깃털을 쓰다듬으며 미소를 머금었다. 수애가 그렇게 미소 짓는 건 처음이었다. 하율은 점점 더 깊이 수애에게 빠져드는 것을 느꼈다.

어느새 잿빛 하늘이 펼쳐져 있었다. 둘은 어둠 속을 더듬어 숲을 거의 빠져나왔다. 노란 날개를 가진 곤충들이 몰려왔다. 하율은 손을 저어 수애에게 달려드는 놈들을 쫓았다.

"네가 아프지 않으면 좋을 텐데."

"아픈 몸도 내 몸이잖아. 그러니까 이게 나야."

하율은 차라리 내가 아팠으면 좋겠어, 라고 속으로 말했다.

"아름다운 기억들을 가지고 피안에 가서 행복하길 바라."

그 말을 남기고 수애가 돌아섰다. 하율은 네가 없는 곳에 가고 싶지 않아, 라고 말하고 싶었다. 하지만 수애는 벌써 저만치 앞으로 나아가고 있었다. 하율은 가슴이 알알했다. 몇 걸음 걸어가던 수애가 멈춰 서서 하율을 돌아봤다. 뭔가 중요한 말을 할 것 같은 눈빛이었다.

"누군가에게 이런 감정을 느낀 건 처음이야. 무슨 말이든 하고 싶고, 같이 있고 싶은 거 말이야."

하율은 심장이 가파르게 뛰는 걸 느꼈다. 나도 그래, 라는 말이 입안에서 뱅뱅 돌았다. 시간이 이대로 멈추기를 바랐다.

"나를 기억해 줘."

수애가 말했다. 하율은 고개를 끄덕였다. 수애는 뭔가 더 말하려다가 말고 몸을 돌려 앞으로 나아갔다. 바람이 휘잉 소리를 내며 수애의 뒤를 따라갔다. 하율은 내일 만나자고 했다. 수애는 대답이 없었다. 듣지 못한 걸까. 못 들은 척하는 건 아니겠지. 하율은 조바심이 났다.

하율은 밤새 잠들지 못하고 뒤척이며 수애와의 추억들을 떠올렸다. 함께 그린 그림과 함께 한 산책, 수애를 업었을 때 느낀 체온과 몸의 감촉, 콜록거리며 먼 데를 바라보던 수애의 눈빛, 희미해서 말간 미소…….

새벽녘, 깜박 든 잠 속에서 수애를 봤다. 커다란 나무 위에 올라
간 수애가 구름 속으로 사라졌다. 하율은 망설이지 않고 수애를 따
라 나무 위로 올라갔다. 구름이 둘을 감싸 안았다. 수애가 하율의
이마에 입술을 대었다. 꿈에서 깨었을 때 하율은 더 이상 망망대해
를 떠도는 기분이 아니었다. 자신이 뭘 해야 하는지 깨달았다.

하율은 차안에서 행복했던 기억들을 공책에 적었다. 가족과 친
구들의 모습을 그리기도 했다. 기억을 잃는다고 해도 자신이 어떤
사람인지 짐작할 수 있을 거라는 생각에 안심이 됐다. 네가 행복하
면 우리도 행복하단다. 늘 그랬듯이 엄마와 아빠가 하율의 선택을
존중하고 어깨를 도닥여 주었다. 오빠, 나도 오빠가 행복하기만
하면 돼……. 하연의 목소리가 들려왔다.

수애 넌 이제 혼자가 아니야. 하율은 눈앞에 없는 수애를 향해
말했다. 환하게 웃는 수애의 모습이 떠올랐다. 당장 수애에게 달
려가 이곳에 남겠다고 말하고 싶었다. 하지만 그 순간을 조금 더
아껴 두고 싶었다. 아껴 두면 기쁨이 더 커질 것만 같았다.

드디어 선택의 날이 밝았다.

아침부터 새들의 움직임이 부산하더니 비가 오기 시작했다. 따
뜻한 담요 같은 비였다. 하율은 빗소리를 들으며 망각의 차를 마시
는 건 햇볕이 쨍쨍할 때 마시는 것보다 훨씬 운치 있을 거라는 생

각이 들었다. 숲으로 난 길은 젖었지만 몸은 그 어느 때보다 가벼
웠다. 피안으로 갈 아이들은 벌써 떠났을 시간이었다. 곧 수애와
만날 생각을 하자 가슴이 쿵쿵거렸다. 기왕이면 수애와 함께 사신
앞에 서고 싶었다.

　사신이 하율을 보고 손짓하여 불렀다. 하율은 사신 앞으로 나아
갔다. 사신이 예의 그 자애로운 미소를 띠며 마음을 정했냐고 물었
다. 하율은 예, 라고 거침없이 대답했다.

　"한번 말하고 나면 번복할 수 없다. 신중하게 생각하고 말해야
한다."

　"예. 저는 이곳에 남겠습니다."

　"그게 정말이냐?"

　사신이 의아한 눈빛으로 물었다. 이번에도 하율은 예, 하고 힘주
어 말했다. 사신이 고개를 갸우뚱하며 다시 물었다. 하율은 자신감
에 넘쳐 대답했다. 사신이 망각의 차가 담긴 찻잔을 내밀었다. 이곳
에 사는 동물들이 아로새겨진 찻잔이었다. 하율은 찻잔을 든 채 두
리번거렸다. 수애를 한 번 더 본 뒤에 차를 마시고 싶었다.

　"망각의 차를 마시기 전에 왜 마음을 바꿨는지 물어봐도 되겠느
냐?"

　"수애와 함께 있고 싶어서요."

　사신이 무슨 생각에 잠긴 듯 눈을 지그시 감은 채 수염을 쓸어

내렸다.

"수애는 조금 전에 떠났다."

하율은 자신의 귀를 의심했다. 수애가 떠나다니, 어디로 떠났다는 걸까. 설마, 피안으로? 그럴 리가 없는데. 수애가 어디로 떠난 거냐고 물었다.

"피안으로 떠났다."

"수애가 그럴 리 없어요. 이곳에 남을 거라고 했는걸요."

"수애가 이곳에 남을 수밖에 없었던 이유를 알고 있느냐?"

"예. 피안으로 가져갈 만한 좋은 기억이 없어서예요."

"이제 수애도 아름다운 기억을 갖게 됐다고 하던걸? 이곳에서 아름다운 기억을 갖게 됐다고 말이다."

"……."

"이곳에서의 아름다운 기억을 가져가는 대신 고통스러운 기억들도 함께 가지고 가야만 했지. 그게 이 세계의 법칙이거든."

그것도 수애처럼 스스로 목숨을 끊은 경우에 한해서였다. 사신이 수염을 쓸어내리며 어깨를 들어 양 날개를 펼쳤다가 접었다.

하율은 수애가 피안으로 떠난 것도, 아픈 기억들까지 갖고 떠났다는 것도 받아들일 수 없었다. 수애가 그런 선택을 할 줄 알았다면, 자신도 여기에 남지 않았을 거였다. 이제 번복할 수도 없었다. 눈물이 북받쳐 올랐다.

사신이 하율의 어깨를 두드려 주었다.

"이제 수애의 고통스러운 기억들이 사라질 것 같구나. 누군가가 진정으로 수애를 사랑하면 수애의 고통스러운 기억들이 사라지거든. 네가 수애를 사랑하는 마음이 수애의 고통들을 지워 준 거야."

하율은 사신에게 고맙다고 말하며 고개를 숙였다. 하지만 이내 가슴이 서늘해지는 걸 느꼈다. 수애가 없는 이곳은 의미가 없었다. 조금 더 일찍 결심했더라면? 그걸 수애에게 고백했더라면? 어제 차안에서의 기억들을 글로 적는 걸 멈추고 수애를 만나러 가기만 했어도 일이 이렇게 되지는 않았을 거였다.

"벌써 네가 한 선택을 후회하고 있는 거냐?"

"그건 아닌데, 수애가 없는 이곳에 남는 게 두려워요."

하율이 계속했다. 수애를 기억해 주겠다고 약속했는데 이제 그럴 수가 없게 됐어요. 수애한테 약속을 지키지 못해서 미안하다는 말을 하고 싶어요.

사신이 수염을 쓰다듬으며 하율을 바라봤다.

"피안에 가도 각자 아름다운 기억을 가질 수 있을 뿐, 서로를 볼 수 없다는 건 알고 있겠지?"

사신이 말을 이었다. 네가 이곳에 남게 되면, 차안에서의 기억은 가지지 못하지만 이곳에서의 기억만은 가질 수 있다. 누군가에게 아름다운 기억을 선사한 사람만이 가질 수 있는 특권이지.

사신의 말이 끝나자마자 파랑앵무새가 날아와 하율의 어깨 위에 앉았다. 하율은 수애를 본 것처럼 반가웠다. 내가 있잖아. 앵무새가 하율의 귀에 대고 속삭였다. 수애의 목소리였다. 망각의 찻잔에 수애의 얼굴이 어른거렸다. 수애가 돌아온 걸까? 하율은 가슴이 가파르게 뛰는 것을 느꼈다. 이내 수애의 얼굴이 지워지고 커다란 물기둥이 드리웠다. 하염없이 내리는 빗물로 인해 물기둥은 점점 커졌다. 하율은 거기에서 눈을 뗄 수가 없었다. 수애가 빗물로 내리고 있다는 걸 알 수 있었다.

하율은 깊은 숨을 내쉬었다. 이내 이제까지와는 다른 편안함이 찾아왔다. 하율은 더 이상 미룰 수 없다는 걸 깨달았다. 두 손을 모아 찻잔을 들었다. 알 수 없는 기운이 몸을 에워쌌다. 하율이 눈을 감았다가 뜨자 거짓말처럼 비가 그치고, 하늘 한가운데가 열렸다. 영롱한 빛이 머리 위로 쏟아졌다. 하율은 눈이 부셨다. 하율아, 고마워. 너를 기억할게. 앵무새의 말을 따라 수애의 목소리가 메아리로 울려 퍼졌다.

물이 끓는 시간

나는 계속 울려 대는 휴대전화를 바라봤다. 너 어디야? 빨리 들어와. 너까지 이러면 어떡해? 은희의 휴대전화에서 들려오는 엄마 목소리가 귀에 쟁그랑거렸다. 오죽하면 아직도 죽은 은희의 휴대전화를 쓸까 하면서도 번번이 섬뜩했다. 휴대전화의 전원을 껐다. 무거운 옷을 벗어 던진 기분이었다.

그제 저녁 집을 나설 때만 해도 될 대로 되라는 심정이었다. PC방에서 나왔을 때는 이미 어둠이 내린 뒤였다. 밤새 거리를 쏘다니다가 새벽을 맞았다. 늘씬하게 두들겨 맞은 것처럼 몸이 욱신거려 찜질방에 갔다가 잠이 들었다. 다시 아침이 찾아왔고, 햇살이 속을 낱낱이 들춰내는 것만 같았다. 불현듯 어디론가 떠나고 싶었다. 무작정 터미널로 갔다. 딱히 어디로 가야겠다는 생각은 없었다. 가장 빨리 떠나는 차가 목포행이었다. 그걸 타지 않으면 또 망설일 것 같아 우선 표부터 끊었다. 사내애답지 못하다는 말만 듣고 살아와서인지 별칭인 '주먹의 도시'에 대한 막연한 선망도 있었다.

막상 도착해 보니 도시의 별칭은 과장이나 허세에 불과해 보였다. 어디에서나 해가 올려다보이고 나지막한 건물들과 중소형 자동차들이 어우러져 무채색의 풍경을 이루었다. 왠지 만만해 보인다고나 할까, 야릇한 안도감을 느꼈다. 의기양양하게 숨을 들이마시고 내뱉기를 반복했다. 햇살이 옷자락을 움켜잡고 살을 꼬집었다. 이쯤에서 돌아가라는 경고 같기도 했다. 하지만 그런 것쯤은 무시하라고 스스로 속삭였다. 얼마쯤 지나자 나를 알아볼 사람이 없다는 데 묘한 해방감까지 느꼈다. 몇 발짝 떼지 않아 갑작스레 허기가 찾아왔다. 편의점에서 컵라면을 먹다가 느닷없이 목이 메었다. 집을 나온 지 겨우 사흘째인데 석 달은 지난 느낌이었다. 땀이 배어 꿉꿉한 티셔츠까지 초라함을 부추겼다.

정오가 지나도 도심의 뒷골목은 여전히 깨어나지 못한 채였다. 밟히고 찢긴 전단지만이 지난밤의 궤적을 증명하듯 이리저리 쓸려 다녔다. 몇몇 아이들이 담배를 꼬나문 채 실랑이를 하고 있었다. 삥 뜯을 대상을 찾고 있는 눈들이었다. 한 녀석과 눈이 마주쳤다. 녀석이 고개를 까딱거리고는 턱을 들어올렸다. 야, 꼬챙이 이리 와 봐. 그 몸짓과 소리에 지레 겁을 먹고 줄행랑을 쳤다. 얼마나 달렸을까. 어느 순간, 또 도망치고 있구나, 하는 자각이 머리를 때렸다. 햇볕이 몸의 물기는 물론, 피까지 깡그리 말려 버릴 기세였다. 시간은 미라 속에서처럼 더디게 흘렀다. PC방에서 시간을 때우고 나왔는데도 해는 여전히 하늘 한가운데서 위용을 떨치고 있었다. 다시 터미널로 향했다. 전광판의 반짝거리는 지명들 중에 낯익은 지명이 눈에 들어왔다. 진도! 어쩌면 목포로 올 때부터 그곳이 무의식 속에 자리 잡고 있었는지도 모른다. 진도를 경유해서 가는 팽목항이.

2년 전 4월 어느 날이었다. 제주도로 수학여행을 가는 학생들을 태운 여객선이 침몰했다는 소식이 매스컴과 SNS를 도배하다시피 했다. 거대한 배가 기우뚱해 있는 광경에 이어 전원 구조라는 속보가 나왔다. 곧 오보임이 밝혀졌고, 결과는 참담했다. 시신으로 돌아온 아이들을 맞이하는 가족들의 통곡과 애도 행렬이 이어졌다. 여기저기서 무책임한 정부에 대한 비난이 빗발치고 분노의 불길이 솟구쳤다. 시사동아리연합 회장이었던 은희는 노란 리본을 만들어 배포하고, 특별법 제정을 촉구하는 서명지를 돌렸다. 그저 공부 잘하는 모범생인 줄만 알았던 은희가 다시 보였다. 그 애가 정말 나와 생일이 같은 남매인지 의심이 갈 정도였다. 방학이 되자 은희가 동아리 친구들과 팽목항에 갈 거라면서 같이 가자고 했다. 선뜻 용기가 나지 않았다. 멀미를 핑계로 고개를 저었다.

그런데 오늘 이렇게 가게 되는 걸 보면, 언제든 가야 하는 곳이 있는 모양이었다.

한 시간가량 쉬지 않고 달린 버스가 진도 터미널에 몸을 부렸다. 긴장한 탓인지 아랫배가 살살 아팠다. 화장실에 들른다고 해도 팽목항행 버스 시간과 얼추 맞아떨어졌다. 버스를 기다리는 동안 기분이 오락가락했다. 특별한 뭔가를 만나기 전의 설렘, 그러나 그 이상의 울적함이 뒤따랐다.

버스 안의 좌석마다 장바구니와 짐 꾸러미가 즐비했다. 땡볕에 달궈질 대로 달궈진 버스는 찜통 그 자체였다. 동산 하나를 질러가고 있을 때 커다란 배낭을 멘 군인이 손을 들었다. 곧 버스가 멈춰섰다. 군인이 탄 뒤에도 버스는 떠나지 못했다. 지팡이를 높이 들고 흔들며 논둑길을 걸어오는 노인 때문이었다. 기다려 주자는 의견이 대세였다. 그사이 승객들은 버스에서 내려 소변을 보거나 스트레칭을 했다. 노인은 버스 가까이 다가와서도 버스를 타지 않았다.

"몸 성히 댕겨와야 쓴다."

"알았응게 얼릉 들어가시오, 아부지."

차창을 사이에 두고 손을 놓지 못하는 부자에게 승객들의 시선이 모아졌다.

"늘그막에 본 막둥인가 보구마이."

"보는 사람 애간장이 다 녹아부요."

승객들의 수수한 얼굴과 사투리에 친근감과 안도감을 느꼈다.

버스는 섬을 끼고 돌며 천천히 달렸다.

"오메, 징하게 더워불그마이."

"이 삼복더위에 장작불 때는 사람도 안 있등가라. 쪼께 참으시오."

"그라제라이. 이 차에 발 디딜 틈도 읎든 때가 엊그제 같은디 말여라, 인자 검은 개 한 마리도 안 와부요이."

"누가 아니랍디여. 그랑께 죽은 아그들만 원통해불지라."

버스가 해안도로를 타고 달리자 갯내가 밀려 들어왔다. 나는 속이 메스껍고 구토가 치미는 것을 가까스로 참았다.

팽목항이 가까운 듯 노란 리본들이 줄을 이었다. 해풍에 쓸리고 햇볕에 바랜 리본들이 말을 걸어오는 느낌이었다. 가슴이 아릿했다. 버스 바퀴가 몇 번인가 공회전을 하다가 미끄러졌다.

이윽고 선착장이었다.

곳곳에 그물이 펼쳐져 있었다. 그물을 잣는 사람 둘뿐, 선착장은 한적했다. 버스에서 내린 사람들로 잠시 북적거리다가 순식간에 다시 휑해졌다. 나는 선착장을 지나 해안가로 걸음을 옮겼다. 멀리 갈매기들이 끼룩거리며 유유히 날았다. 문득 갈매기가 되어 바다 위를 날아다니는 상상을 했다. 날개를 펴듯 양팔을 벌리고 까

치발로 섰다. 몸이 절로 가벼워지는 느낌이었다. 은빛 물보라가 밀려왔다가 밀려 나가기를 반복할 뿐, 바다는 아무 일도 없었다는 듯 고요했다. 나는 도로변으로 접어드는 길목에서 잠시 멈춰 섰다. 조금 전까지만 해도 메스껍던 속이 가라앉고 돌연 허기가 밀려왔다. 마침 분식집 간판이 눈에 들어왔다.

손님 하나 없는 홀인데 분위기만은 푸근했다. 주방에서 아주머니가 어깨에 효자손을 댄 채 졸고 있었다. 가스 테이블 앞에 일렬로 놓여 있는 들통들이 눈에 들어왔다. 들통이라면 이따금 엄마가 빨래를 삶을 때나 쓰는 물건이었다. 어디에 쓰려고 네 개씩이나 들여놓았을까. 다시 아주머니에게로 시선이 갔다. 키가 작고 깡말랐는데 머리 한가운데가 휑하고 싸락눈처럼 흰머리가 올라와 있었다. 앞치마를 두른 옷매무새가 단아했다. 나는 인기척을 내느라 헛기침을 했다. 아주머니는 미동도 하지 않았다. 잠깐 졸음을 달래는 정도가 아니라 아예 깊은 잠에 빠져 있었다. 파리 한 마리가 아주머니의 얼굴 주변에서 윙윙거렸다. 아주머니가 깰 때까지 기다리려고 바다가 보이는 쪽에 자리를 잡고 앉았다. 가스 테이블 위 주전자에서 물이 끓는 소리가 들려왔다. 나지막하고 일정한 리듬이 달콤한 잠으로 이끌었다.

어깨에 와 닿는 손길을 느끼며 고개를 들었을 때 아주머니가 웃음을 지었다. 나는 침까지 흘리고 잤다는 걸 깨닫고 민망해서 얼른 고개를 숙였다.

"학생, 많이 피곤한 모양이네. 뭘 좀 줄까?"

"라면이요."

아주머니가 나물과 감자볶음을 비롯해 라면과는 어울리지 않는 밑반찬들을 내왔다. 곧이어 라면 냄새가 진동했다. 양은 냄비에 계란을 풀고 파를 숭숭 썰어 넣은 라면을 보자 군침이 돌았다. 떡이 들어 있는 걸 보고 눈이 절로 메뉴판으로 갔다. 라면은 이천 원, 떡라면은 메뉴에 없었다. 아무리 작은 섬이라고 해도 가격 대비 너무 근사했다. 무엇보다 맛이 좋아서 금세 냄비의 바닥이 드러났다.

"이건 덤이야. 맛있게 먹어 줘서 고마워."

아주머니가 밥 한 공기를 가져다주었다. 거절할 수 없을 만큼 다정한 말투였다. 나는 고개를 끄덕이고 말았다. 그녀가 표준어를 쓴다는 데 난데없는 유대감까지 느꼈다.

"천천히 먹어, 천천히. 꼭꼭 씹어서."

천천히 먹어야지 하는 마음과 달리 손은 급했다. 아주머니는 줄곧 나를 지켜봤다.

분식집을 나와 방파제를 따라 걸었다. 멀리 빨간 등대가 보이고 추모 글들이 적힌 현수막이 바람에 나부꼈다. 길은 온통 노란 물결이었다.

잊지 않을게. 이제 그만 돌아오렴. 거기 바다는 너무 춥잖아. 사랑해. 보고 싶다.

구구절절 애틋했다. 가슴이 울렁거렸다.

미안해! 지켜 주지 못해서. 다음 생에 꼭 다시 만나자······

은희가 교문 앞에서 서명지를 돌릴 때 들고 있던 피켓에 적힌 문구들이었다. 내가 은희에게 하고 싶은 말도 있었다. 가슴이 먹먹해지면서 이내 눈물이 북받쳐 올랐다.

은희가 죽은 순간에도, 은희의 장례식 때도 눈물 한 방울 흘리지 않았다. 모두가 나를 원망하는 것 같아서 쥐구멍이라도 찾고 싶었을 뿐, 슬픔을 느낄 겨를도 없었다. 아니, 슬픔마저도 사치였다. 은희 대신 살아남았다는 것은 그 자체로 형벌이었다.

그제는 은희의 기일이었다. 방과 후 수업도 제치고 집으로 향했다. 거실에는 생전에 은희가 좋아했던 음식들이 차려져 있었다. 그 앞에서 엄마는 은희의 영정을 품에 안은 채 맥락을 알 수 없는 말을 중얼거렸다. 은희에게 보내는 엄마의 암호. 둘만의 대화에 끼어들 여지는 없었다. 엄마는 치렁치렁한 레이스가 달린 옷을 입고 새빨간 립스틱과 매니큐어를 바르고 있었다.

울 엄마 젊었을 때 사진 보면 여신급인데 얼굴이랑 손이 이게 뭐야. 립스틱도 바르고 매니큐어도 발라 봐.

언젠가 일을 마치고 돌아온 엄마에게 은희가 선물 상자를 내밀며 말했다. 엄마는 그때 은희에게 받은 선물로 치장을 한 거였다.

아버지는 엄마 옆에서 술을 홀짝거리다가 나를 힐끗 쳐다봤다. 한 시간이 지나도록 두 분은 자리에서 꼼짝하지 않았다. 그러자고 약속이나 한 것처럼.

얼마나 지났을까. 엄마의 입에서 타령조의 노래가 흘러나왔다.

뜰 앞에 쨍아가 죽었습니다 과꽃 나무 밑에 죽었습니다 개미들이 장사를 지내 준다고 작은 개미 앞뒤 서서 발을 맞추고 왕개미는 뒤에서 따알랑 딸랑······ *

엄마가 할머니에게 배워 가르쳐 준 동시였다. 은희는 그 동시의 리듬을 살리고 박자를 넣어 노래처럼 읊곤 했다. 은희의 노래를 흉내 내는 엄마의 얼굴에 은희가 겹쳐졌다. 엄마에게 은희의 혼이라도 씐 것처럼 보였다. 아버지까지 연방 괴이한 소리를 내며 울먹였다.

"내가 잘못했다. 미안하다!"

아버지의 말에 어리둥절했다. 아버지가 그 말을 몇 번이나 반복했을 때에야 비로소 그것이 은희를 향한 것임을 깨달았다. 아버지의 지갑에서 돈을 훔쳤을 때 은희가 대신 회초리를 맞았던 것이 떠

---

* 천정철 「쨍아」

올랐다. 순간, 아버지와 눈이 마주쳤다.

나쁜 놈! 내가 모를 줄 알아? 돈을 훔친 건 은희가 아니라 너지?

아버지의 눈이 말하고 있었다.

이번에는 엄마가 훌쩍거렸다.

"다 내 탓이야. 내가 널 죽인 거야. 양보만 하라고 가르친 내가 널 죽인 거야……."

둘 중 하나가 죽어야 한다면 은희가 아니라 찬희 너야, 라고 말하는 눈빛. 지난 1년 동안 그 눈빛을 숱하게 마주했고, 그걸 부인하려고 안간힘 썼다.

하지만 이제 더 이상은 외면할 수도 부인할 수도 없었다. 죽은지 1년이 지난 은희는 여전히 죽어서는 안 되는 딸로 집 안 구석구석에서 살아 숨 쉬었다. 나는 언제까지나 있으나 마나 한 아들로 죽은 듯이 살아가야 한다는 게 막막하고 두려웠다. 게다가 죽을 때까지 안고 가야 하는 죄책감이라니. 아버지와 엄마, 죽은 은희까지 셋이 하나가 되어 나를 밀어내는 느낌이었다.

언제 와 있었는지 트레이닝복 차림의 20대가 앞에 서 있었다.

"친구 찾아왔나?"

나이 차이도 안 나 보이는데 언제 봤다고 반말이야.

나는 마음이 삐딱해져서 그를 꼬나봤다. 그가 몇 걸음 물러서는가 싶더니 한참이 지나도 주변을 맴돌았다. 바다에 뛰어들기라도 할까 봐 감시한다는 의혹을 떨칠 수가 없었다.

"어디서 왔냐?"

"왜 반말이에요? 처음 보는 사람한테 반말하면 안 되는 거 아녜요?"

"짜식 까칠하긴. 난 동생 같아서 그런 건데."

언제 봤다고 동생이야?

쏘아 주고 싶었지만 그와 더 이상 엮이기 싫었다. 그런데 그가 끈질기게 따라붙었다.

"사내자식이 그렇게 매가리가 없어서 되겠냐?"

그 말을 듣는 순간, 속이 부글거리고 나도 모르게 욕이 튀어나왔다. 아, 씨발! 그는 처음부터 맞설 생각이 없었던 듯 손으로 이마를 쓱 문지르고는 나를 바라봤다. 욕을 하고도 도리어 욕을 먹은 기분이었다. 한마디로 기분이 엿 같았다. 그가 한술 더 떠서 내 어깨에 팔을 걸쳤다. 속이 느글거렸지만 차마 내치지 못하고 엉거주춤 서 있었다.

"2년 전엔 나도 고3이었다. 고2 때까지는 공부 쫌 하는 축이었는데……."

그의 말이 귀에 들어오지 않았다. 그가 듣거나 말거나 하는 표정으로 천연덕스럽게 말을 이으면서 내 옆구리를 툭 쳤다. 또 욕이 나오려는 걸 꾹 눌러 삼키고 그의 팔을 홱 밀쳐 냈다.

거기에 굴하지 않고 그가 계속했다.

고등학교 2학년 겨울방학 때부터 껄렁한 친구들과 어울려 다니는데 재미를 붙였다. 성적이 곤두박질치자 집안이 발칵 뒤집혔다. 설상가상으로 여자 친구까지 등을 돌렸다. 삶에 대한 회의가 몰려왔다. 나중에는 매사에 의욕이 없어지고 죽고 싶은 생각까지 들었다. 그런 말을 친구와 카톡으로 주고받았다가 엄마에게 들켰다.

세월호나 타고 죽지 그랬어? 보상금이나 받게.

그 길로 집을 뛰쳐나왔다. 그런 말을 하는 사람이 엄마라는 게 부끄럽고, 그런 말까지 들어야 하는 자신이 미웠다. 거리를 배회하다가 하필 동네 건달들과 시비가 붙었는데 몸싸움으로 이어졌다. 경찰서에서 학교로 연락이 갔고 선도위원회에 회부되어 사회봉사를 받았다. 봉사할 곳을 선택하라는 말에 팽목항이요, 라고 했다. 거기 가서 뭔가 하고 싶었다. 일주일 봉사를 마치고 집으로 돌아갔는데, 통곡소리가 귓가에 맴돌았다. 그런데 집이나 학교, 어디를 가나 공부, 공부 했다. 잊지 말자고 하면서도 잊을 수밖에 없게 만드는 상황에 분노가 솟구쳤다. 대학에 진학했는데도 여전히 공부에 집중이 안 되었다. 결국 입대를 결심했다. 입대가 일주일 앞이었다.

그가 잠시 숨을 돌린 뒤 다시 말을 이었다.

"해군에 지원했어. 그들을 잊지 않기 위해서 내가 할 수 있는 걸 찾아보려고."

노란 리본들이 그를 둘러싸고 바람에 펄럭였다.

"저 리본들 보고 있으면 미안하고 부끄럽고 그래. 앞으로 어떻게 살아야 할지 생각도 하게 되고."

유가족들이 시위를 하는데 한쪽에서는 교통사고 운운했다. 단식 농성 앞에서 폭식 농성을 하고, 유가족들에게 상처를 주는 댓글을 보면 분노가 끓어올랐다. 이따금 이곳에 와서 잊지 않겠다는 마음을 다지곤 했다. 해안가를 어슬렁거리다 우연히 구한 목숨도 있었다.

이곳에 다녀온 뒤로 은희도 달라졌다. 공부는 여전히 열심히 했지만 동아리 활동에 더 열성을 기울였다. 공부 말이야, 전에는 무조건 해야 하는 거라고 생각했는데 이제 아니야. 왜 해야 하는지 알게 됐어. 나 글을 쓸까 봐. 네가 무슨 글이야? 증언하는 사람이 되고 싶어서. 나는 또 잘난 척, 하고 비아냥거렸다.

"무슨 일로 이 섬엘 왔는지 모르겠다만, 여기서 자고 갈 거면 이따가 열 시에 등대에서 보자."

그 말을 나는 귓등으로도 안 들었다. 물론, 오늘 밤을 어디서 보낼지 계획도 없었다. 이 섬에서 마땅한 숙소를 알아보지도 않았고, 시내로 나가 찜질방에 가는 것도 내키지 않았다.

"참, 잘 데 마땅치 않으면 내 방에서 자라. 여름이라도 밤바람이 차니까 한데서 잘 생각은 말고."

그가 내 뱃속에라도 들어왔다가 나온 것처럼 말했다. 내 꼴이 말이 아니라는 거겠지. 그가 전화번호를 적은 쪽지를 건넸다. 그걸 받아 주머니에 넣으면서도 그를 다시 볼 생각은 없었다.

"시내 나갈 거면 저걸 타고."

선착장에 서 있는 버스가 막차였다. 나는 고개를 끄덕이면서도 버스에 관심이 가지 않았다. 여기에 오래 머물러야 할 이유가 없듯 서둘러 떠나야 할 이유도 없었다.

그가 돌아선 길을 따라 꽃바구니를 옆구리에 낀 할머니가 걸어오고 있었다.

나는 곧장 등대로 향했다. 하늘나라 우체통 앞에서 걸음이 절로 멈추었다. 그 자리에서 멍하니 앉아 있는데, 과자 부스러기를 등에 진 개미 떼가 눈에 들어왔다. 가슴속에서 묘한 파동이 일어나는 것을 느꼈다. 개미들이 잠자리의 머리를 갉아 먹었다. 순식간에 잠자리의 몸통이 해체되고, 사방에 꽃잎이 흩날렸다. '쨍아'를 노래하던 은희의 목소리가 들려왔다.

뜰 앞에 쨍아가 죽었습니다 과꽃 나무 밑에 죽었습니다 개미들이 장사를 지내 준다고 작은 개미 앞뒤 서서 발을 맞추고 왕개미는 뒤에서 따알랑 딸랑……

46

나보다 한 시간을 먼저 세상에 나온 은희는 키와 몸무게가 표준을 훨씬 웃돌았다. 나는 평균에 한참 못 미치는 체구에 황달까지 달고 나왔다. 인큐베이터에서 한 달을 지내고 나서야 혈색이 돌아왔다. 하마터면 세상 구경도 못 할 뻔했던 나는 줄곧 건강하게만 자라면 되었다. 그런 동생을 둔 은희는 내 몫까지 짊어져야 했다. 둘이 먹기에 부족한 엄마 젖을 독차지한 것도, 엄마 등에 먼저 업히는 쪽도 매번 나였다. 나는 은희의 양보를 당연하게 여겼고, 나중에는 자의 반 타의 반으로 그것을 이용하기도 했다.

　아버지의 지갑에서 몇 번 돈을 꺼냈다가 꼬리가 잡혔다. 아버지의 호통 소리가 들렸을 때는 은희가 거짓 자백을 한 뒤였다. 은희가 회초리를 맞는 걸 알면서도 거실로 나가는 대신 누운 채 이불을 머리까지 끌어올렸다. 아버지가 은희의 말을 믿을까. 의문이 들기 시작하자 견딜 수가 없었다. 거짓말까지 해서 나를 감싸 주는 은희가 고맙기는커녕 가증스러웠다. 다음 날 아침 일찍 집을 빠져나와 텅 빈 운동장을 달렸다. 저녁에는 친구들과 어울려 PC방과 노래방을 전전하며 귀가를 늦추었다. 노래방에 있는데 은희의 메시지가 들어왔다. 울 동생, 누나가 밥 사 줄게. 너 좋아하는 콩불고기. 순간, 친구의 담배를 빼앗아 피웠다. 누나는 개뿔, 얼마나 일찍 태어났다고. 얼마 안 가서 그 일을 까맣게 잊었다. 은희의 장례를 치르고 난 뒤, 그 일이 가장 먼저 떠올랐다. 두 번째로 담배를 피운 날이었다.

　은희와는 같은 고등학교에 진학했지만 생활패턴은 너무 달랐다. 나는 야간자율학습은커녕 방과 후 수업 한번 듣지 않았다. 은희는 심화반에 들어갔다. 한밤중이 돼서야 집에 와서 독서실로 향했다. 새벽녘이 되면 다시 집에 왔다가 내가 일어나기도 전에 집을 나섰다. 방학이 되자 아예 독서실에 틀어박혔다. 집에서는 겨우 샤워나 하고 옷을 갈아입는 정도였다.

　어느 토요일이었는데, 친척 결혼식이 있어 부모님이 1박 2일로 집을 비웠다. 나는 선심 쓰듯 은희를 마중 나갔다. 하필 신호등 앞에 서 있는 우리를 향해 승용차가 돌진해 왔다. 은희가 비명을 지르며 나를 밀쳤다. 내가 상황 판단을 했을 때는 이미 은희가 3미터쯤 멀리 튕겨 나간 뒤였다. 은희를 덮친 것은 음주운전 차였다. 은희는 병원으로 가는 도중에 숨졌다. 은희가 필사적으로 나를 밀쳐 내는 모습이 블랙박스를 통해 드러났다. 그것이 열여덟 살 꽃다운 나이의 억울한 죽음을 동생을 구한 살신성인의, 장렬한 죽음으로 바꿔 주었다.

　그 뒤로 나는 말수가 줄고 어지간한 일이 아니면 외출을 삼갔다. 외출할 때는 모자를 눌러쓰고, 아는 얼굴과 마주치면 달아나기 바빴다. 엘리베이터를 타려고 하다가도 누가 타고 있으면 얼른 돌아서서 계단을 이용했다. 은희 대신 건진 목숨이란 그런 거였다. 네 탓이 아니야, 라고 하는 말은 귀에 들어오지 않았다. 나 대신 은희가 죽었으니 나는 죄인이었다. 부모님이 요구하지 않아도 은희의 자리를 메워야 한다는 압박감을 느꼈다. 그 전까지 다니지 않았던 학원에도 다니고 야간자율학습을 자처했다. 최상위권이었던 은희에게는 미치지 못했지만 성적도 조금 올렸다. 휴일이면 내 방 청소를 했다. 그렇게 제법 괜찮은 아들이 되어 가고 있다고 생각했다.

그런데 그제 저녁, 그동안 차곡차곡 모아 둔 보물을 송두리째 도둑맞은 기분이었다. 죽었다 깨어나도 나는 은희처럼 될 수 없고 은희를 대신할 수도 없다는 자각이 뼈저리게 다가왔다.

방파제를 따라 걷는 할머니의 바구니에 여름 끝물의 저녁놀이 들어찼다. 버스는 여전히 그 자리에 서 있었다. 저걸 타야지 하는 생각으로 걸음을 재촉했다. 선착장에 도착할 즈음 버스가 출발하고 말았다. 버스를 향해 들었던 손에서 맥이 풀렸다. 바람맞은 기분과 차라리 잘됐다는 마음이 공존했다. 걸음의 속도를 늦추면서 숨을 깊이 들이마셨다. 갯내가 혈관까지 스며드는 느낌이었다.

노천 파라솔에서 혼자 막걸리를 마시는 사람뿐인 선착장은 황량하리만치 적막했다.

갑자기 피로가 엄습해 오는 것을 느꼈다. 숙소를 찾기 위해 간판들을 살펴봤다. 민박집 입간판이 더러 눈에 띄었다. 주머니 속의 돈은 달랑 3만원. 올라갈 차비를 빼면 민박은 어림도 없었다. 게다가 돌아가기에는 너무 멀리 와 버렸다. 오기와 두려움이 뒤범 벅된 채 여기저기 누비고 다니다가 멈춰 섰다. 분식집 앞이었다. 무의식중에 이 집이라면 재워 줄지도 모른다는 생각을 했을까. 어 디든 한 곳쯤 갈 곳이 있을 거라는 막연한 기대감을 가졌는지도 모 른다. 분식집 유리문 안쪽으로 트레이닝이 보였다. 서 있는 것으 로 봐서 음식을 먹으러 온 것 같지는 않았다. 그가 나를 보고 들어 오라고 손짓했다. 설마 이 집에 그의 방이 있는 건 아니겠지. 아 니, 만약 그렇다면? 그는 그저 지나가는 말로 자기 방에서 자고 가 라고 했을 뿐인데, 내가 마음에 담고 있었던 것으로 비쳤을지 모른 다 싶으니 자존심이 상했다. 아니, 다른 볼일이 있어서 왔는지도 모르는데 내가 너무 앞서 나간 건가? 어쨌거나 그와 마주치기 싫 어서 돌아섰다.

얼마쯤 걸었을까. 학생, 하고 부르는 소리가 들렸다. 목소리에 이끌렸지만 못 들은 척하고 앞으로 가야 할지 돌아봐야 할지 갈등 이 됐다. 아주머니가 다시 나를 불렀다. 하는 수 없이 돌아봤다. 아주머니가 빨리 오라며 손짓했다. 천천히 걸음을 옮겼다. 분식집 뒤뜰로 향하는 문이 열려 있었다. 얼핏 보아도 가지런한 마당이었 다. 문 안쪽의 작은 화단에 키 작은 꽃들이 올망졸망 피어 있었다. 그러나 정작 내 발을 붙잡은 것은 마당 한쪽에 걸린 가마솥이었다.

커다란 무쇠 솥의 검은 그림자가 내 안의 뭔가와 닮은 느낌이었다.

아주머니가 혼자 먹으려니 밥맛이 없어서 그런다며 방으로 들어오라고 했다. 나는 쭈뼛거리다가 방으로 들어갔다. 아주머니가 얼른 상 차려 올게, 하고는 방을 나섰다. 피곤할 테니 좀 누워 있으라는 말까지 덧붙였다. 나는 벽에 등을 기대었다. 몸이 노곤해지면서 이런저런 생각들이 주마등처럼 스쳐 갔다.

아주머니는 미리 차려 두었던 듯 금세 상을 들고 들어왔다. 밥과 국에서 김이 폴폴 올라왔다. 홍합 미역국에 나박김치, 무채와 고추를 넣어 버무린 파래 무침과 구운 가자미 한 마리. 평소에 즐겨 먹던 음식은 찾아볼 수 없었다. 불고기와 소시지가 그리웠다. 그런데 막상 입에 밥이 들어가자 숟가락질을 멈출 수가 없었다. 그야말로 밥맛이 꿀맛이었다. 아주머니는 처음부터 밥을 먹을 생각이 없었던 듯 숟가락도 들지 않고 밥그릇을 내 앞으로 밀어 주었다.

"한 그릇 더 먹어. 한창 먹을 나이에 낮에 라면 하나 먹고 얼마나 배가 고팠겠어."

"아니에요. 아까 밥도 주셨잖아요."

"그 정도로 되나. 참, 간이 맞나 모르겠네. 내가 요즘 음식을 짜게 해서 말이야."

고마워서 몸 둘 바를 모르겠는 쪽은 나인데, 아주머니가 오히려 쩔쩔매는 형국이었다.

"학생 부모님은 이렇게 듬직한 아들이 있으니 밥 안 먹어도 배부르시겠다."

분식집 홀에서 그랬던 것처럼 아주머니는 내가 밥을 먹는 모습을 지켜봤다. 멋쩍었지만 모르는 척했다. 그런데 아주머니가 갑자기 돌아앉아서 눈물을 훔쳤다. 나는 어쩔 바를 몰라 숟가락을 내려놓았다.

"괜찮아, 어서 먹어."

내가 밥을 뜨자 아주머니는 꼭꼭 씹어서, 천천히 먹으라고 했다. 밥을 빨리 먹어 버리면 아주머니가 서운해할 것 같은 느낌마저 들었다. 여러 번 밥을 씹어 천천히 삼켰다. 벽에 걸린 사진이 눈에 들어온 것은 그때였다. 교복을 입은 여학생이었다.

"아직 잘 데 안 구했으면 여기서 자고 가. 방 주인이 있긴 한데 불편하게 할 사람은 아니니까."

뜻밖의 말에 반가웠지만 선뜻 그러겠다는 말이 나오지 않았다. 아주머니가 다시 권했다. 못 이기는 척 고개를 끄덕이고는 머쓱한 나머지 다시 사진으로 눈을 돌렸다.

"우리 딸이야."

"아, 예에."

"참 예쁘지?"

그다지 예쁜 얼굴은 아니었지만 그렇다고 대답했다. 아주머니의 얼굴이 약간 붉어지고 눈가에 이슬이 맺혔다.

"학생 같은 남자 친구가 있으면 좋으련만……."

얼굴이 화끈거리고 나도 모르게 손이 뒷목으로 올라갔다.

아주머니가 다시 사진을 올려다봤다. 딸을 대견해하는 눈빛이었다. 부모님에게 한 번만이라도 저런 눈길을 받아 봤으면. 사진 속의 여자애가 부러웠다.

아주머니가 방 주인 거라며 티셔츠를 내려놓고 방을 나섰다.

나는 다시 사진을 올려다봤다. 단발머리에 갸름한 얼굴, 꾹 다문 입으로 인해 야무져 보였다. 무엇보다 살짝 처진 눈썹이 마음결을 대변해 주었다. 아주머니의 딸이라면 마음씨가 고울 수밖에 없겠지. 그런데 어쩐지 사진에서 현실감이 느껴지지 않았다. 이따금 은희의 사진을 볼 때도 그런 느낌이 들곤 했다.

몸을 벽에 기대었다. 금세 몸이 늘어지면서 하품이 나왔다. 눈꺼풀도 무거웠다. 눕지 않으려고 버텼지만 결국 몸이 의지를 당해 내지 못하고 미끄러졌다.

눈을 떴을 때 옆에서 인기척이 느껴졌다.

"무슨 코를 그렇게 고냐? 탱크 지나가는 줄 알았다."

트레이닝이었다.

"사내자식이 그렇게 삐쩍 곯아서 어디다 쓰겠냐?"

티셔츠가 헐렁해서 더 말라 보이겠지 싶고, 남의 옷을 입었다는 게 켕겼다. 아주머니가 줘서 입었다고 어물어물 변명했다. 그런 건 개의치 않는다는 눈으로 그가 웃으며 반바지를 내밀었다.

"아깐 그 길로 돌아갈 것 같더니?"

"버스를 놓쳤어요."

"갈 마음이 없었던 게 아니고?"

그의 말이 반은 맞았다. 나는 여기에 머무를 마음이 없었던 것처럼 떠날 생각도 아니었다. 그저 갈팡질팡했다.

"등대에 나가 보지 않을래?"

"거기에 뭐가 있어요? 바닷속에서 밤만 되면 출몰하는 괴물이라든지."

"괴물? 하긴 뭐 괴물도 괴물 나름이니까."

아리송한 말을 내뱉고는 그가 길게 한숨을 내쉬었다. 나는 등대에 나갈 생각이 없다는 말 대신 내일 아침 첫차는 몇 시에 있냐고 물었다. 아홉 시에 있는데 그때 나갈 거냐고 그가 반색하며 물었다. 탈 없이 집으로 돌아갈 거라고 믿어 안심하는 표정이었다. 첫차 시간을 물어보기 잘했다.

그가 자리에 눕는 것을 보고 바람이나 쐴 작정으로 슬며시 방을 빠져나왔다.

분식집 홀에 불이 켜져 있었다. 아주머니는 보이지 않고, 가스테이블 위 들통에서 물이 끓고 있었다. 주방에서 물이 끓는 것이야

이상할 것도 없지만 하필 들통인가. 게다가 영업이 끝난 한밤중이었다.

등대를 향해 가고 있는데 트레이닝이 어깨를 툭 쳤다.

"어딜 갔나 했더니, 여기 와 있었네?"

"지금 절 미행하신 거예요?"

"미행?"

"전 자살 같은 거 안 해요."

"그럴 용기도 없잖아. 척하면 척이지. 내가 그 정도도 모를까 봐? 그러니까 이건 미행이 아니라 동행이라고 해야지. 동행이란 말 참 좋지 않냐? 함께 간다는 거 말이다."

동행이 한 사람 더 있다며 그가 앞쪽을 가리켰다. 분식집 아주머니였다. 그녀의 앞으로 들통을 실은 밀차가 보였다. 그게 뭔지 궁금해서 앞으로 나아갔다. 잠깐! 그가 내 옷자락을 붙잡았다.

방파제 끝에 다다른 아주머니가 들통의 물을 국자로 떠서 바다에 붓기 시작했다. 여윈 어깨에 단호함이 서린, 그러나 간곡한 몸짓이었다.

"저기서 뭘 하시는 거예요?"

나를 쳐다보지도 않고 트레이닝이 웃음을 지었다. 일부러 뜸을 들이는 것이 역력했다. 한참이 지나서야 그가 입을 열었다.

"그러니까 그게 말이야."

아주머니는 뜨거운 물로 바다를 데우는 중이었다. 그것은 아주머니만의 의식이었다.

겨울이라면 몰라도 한여름에 펄펄 끓는 물이라니. 게다가 아주머니만의 의식은 또 뭔가.

고개를 갸우뚱하자 그가 말을 이었다.

"2년 전 봄 그날, 수학여행 떠난 딸이 바다에서 아직 돌아오지 못했거든."

딸이 떠난 그해 여름이었다. 아주머니는 찬물로 샤워를 하다가 심장이 얼어붙는 것처럼 아찔한 순간을 경험했다. 그 뒤로 차마 온수를 쓸 수가 없었다. 한동안 남편과 함께 진상규명을 위한 집회와 유가족 모임에도 나갔다. 진실이 인양되기만 바라며 피켓을 들기도 했다. 결국 화병을 얻은 남편마저 잃고는 작년에 이곳으로 내려왔다. 그날부터 줄곧 비가 오나 눈이 오나 밤이면 물을 끓여 바다에 부었다. 한 국자 한 국자, 국자마다 간절한 기원을 담아서. 몇 들통의 물로 바닷물을 데울 수야 없겠지만, 그렇게라도 하지 않으면 견딜 수가 없었다. 얼마 전까지는 장작불을 때서 물을 끓였는데 연기 때문에 민원이 있었다.

나는 벌어진 입이 다물어지지 않았다.

"물이 끓기 시작하면 딸이 당신 곁으로 오는 걸 알 수 있대. 엄마의 직감으로 말이야."

가슴이 먹먹하고 머리가 텅 비어 버린 느낌이었다. 한동안 멍하니 서 있었다. 그가 내 어깨를 툭 쳤다. 들통을 들고 다니던 아주머니의 어깨 근육에 이상이 와서 밀차를 구해다 줬다며 으쓱했다.

"나도 내일 올라가려고. 며칠 더 있으려고 했는데 마음을 바꿨어. 우리 엄마도 물을 끓이고 있을 것 같아서. 너는 어떻게 할 거냐?"

"아직 잘 모르겠어요."

"네가 이러고 있는 한 시간이 부모님한테는 한 달이고 1년일 텐데. 기다린다는 건 그런 거야, 인마."

어느새 아주머니가 가까이 와 있었다.

셋이 앞서거니 뒤서거니 하면서 분식집을 향해 걸었다. 밀차 위의 빈 들통들이 서로 부딪치며 내는 소리로 인해 밤은 더욱 고적했다.

분식집 주방에서는 여전히 물이 끓고 있었다. 셋이 약속이라도 한 듯이 탁자를 둘러싸고 앉았다.

"처음에는 이 물이 끓는 시간이 100년도 더 되는 것처럼 아득하게만 느껴졌단다. 하지만 이제는 아니야. 100년이라고 해도 긴 시간이 아니지. 우리 딸이 돌아오기만 한다면 말이다."

그 말이 아득한 해저에서 깊은 숨을 길어 올리는 소리처럼 들렸다. 사박사박 누군가 물을 헤치고 오는 발소리에 이어 은희의 목소리가 귓바퀴에 감겨들었다.

뜰 앞에 쨍아가 죽었습니다 과꽃 나무 밑에 죽었습니다……

찬희야, 쨍아가 죽어서 꽃으로 피어난 거야.

순간, 보라색 꽃잎들이 화르르 일어나 바다를 뒤덮었다.

아주머니가 예의 그 다사로운 미소를 지으며 나를 바라봤다. 그 미소 때문이었을까. 누구에게도 말한 적이 없는 은희 이야기를 털어놓았다. 아주머니가 내 손을 잡았다.

"우리 딸 말이야, 속이라도 실컷 썩이고 갔더라면 하는 생각이 들더라. 엄마 마음이라는 게 그런 거야."

이어서 나에게 여기에 있고 싶으면 더 있어도 된다고, 얼마든지 있다가 가라고 했다. 이러면 안 된다, 얼른 돌아가라고 했다면 오히려 마음이 편했을 텐데. 오늘은 아무 생각 하지 말고 어여 자라고 덧붙이고는 들통을 밀차에 싣고 밖으로 나갔다. 트레이닝도 따라 일어섰다.

멀리 바람이 파도를 몰아오고, 내 안의 뭔가가 꿈틀, 하는 것을 느꼈다.

푸른 달빛, 그림자

검은 마스크를 쓴 녀석 넷이 나를 내려다보고 있다. 어둠 속에서 여덟 개의 눈이 번득인다. 포획물을 앞에 둔 짐승의 눈. 저들은 왜 나를 저런 눈으로 쳐다보는 건가.

한 시간 전만 해도 편의점에서 일하고 있었다. 지완이와 먹으려고 유통기한이 지난 삼각김밥을 들고 나오는데, 사장이 잔소리를 했다. 가슴속에서 불꽃이 확 당겨졌다. 뭐라도 태워야지 싶어 손에 잡히는 대로 신문지를 들고 뛰쳐나왔다. 근처의 신축 빌라 공사장으로 향했다. 공사장에 거의 다다랐을 때 뒤에서 급한 발소리가 났다. 걸음이 절로 빨라졌다. 뭔가가 뒤통수를 잡아당기는 느낌이었다. 뒤돌아보려고 하는 순간, 둔탁한 것이 뒤에서 머리를 내리쳤다.

한 녀석이 마스크를 턱 아래로 내리고 숨을 내뱉자 나머지도 따라 했다. 술 냄새가 훅 끼쳤다.

"왜 이래? 대체 이유가 뭐야?"

"이유? 달린 주댕이라고 나불대긴."

한 녀석이 내 얼굴에 침을 뱉으며 말했다. 일단 주먹 맛 좀 보셔. 옆에서 담배를 피우던 녀석들이 차례로 맞장구쳤다. 이 시간이 오기를 단단히 벼른 표정이었다. 녀석들에게 뭔가 더 물어보고 확인해야 한다. 전에도 비슷한 경험을 하지 않았나.

초등학교 5학년 때였는데 한 아이가 계속 심부름을 시켰다. 한 번은 거절했더니 화장실로 끌고 가 변기의 물을 마시라고 윽박질렀다. 그때 그 물을 마셨더라면 그 애는 나에게 오줌을 먹였을 것이다. 그러고도 남을 애였다. 변기의 물을 마시지 않고 버티면서 죽을힘을 다해 소리쳤다. 누군가가 그 소리를 듣고 달려왔다. 하지만 지금은 그때와는 비교도 안 될 만큼 불리한 상황이었다. 한밤중의 공사장에는 개 한 마리 얼씬하지 않았다.

"그러니까 좋은 말로 할 때 들었어야지."

이건 또 무슨 말인가. 사람을 착각한 건가? 그렇다면 지금이라도 녀석들이 찾는 사람이 내가 아니라는 걸 알려 줘야 한다.

"혹시 사람 착각한 거 아녜요?"

60

"착각? 뭔 개소리야? 좆만 한 새끼가."

한 녀석이 내가 적만 두고 있는 학교 이름을 대면서 비아냥댔다. 할머니가 돌아가신 뒤로 학교에는 발걸음도 하지 않았다. 이따금 가정통신문이 왔지만 열어 보지도 않고 태워 버렸다. 어쨌거나 나를 학교에서 본 적이 있다는 것이고 나를 안다는 건데.

"왜 그랬냐?"

뭘 했는지도 모르는데, 왜 그랬느냐고? 이건 분명한 오해다. 한 녀석이 다가와 쪼그려 앉더니 준비됐냐? 하면서 멱살을 잡았다. 무슨 준비를 말하는 건가. 맞을 준비? 죽을 준비? 벌써부터 목이 무언가에 눌리는 느낌이었다. 녀석이 내 뺨을 후려치고 다른 녀석이 옆구리를 걷어찼다. 이어 무차별 발길질이 쏟아졌다. 억 소리가 절로 나왔지만 공포감으로 인해 아픔은 뒷전이었다. 비명 한번 지르지 못하고 널브러진 채 꼼짝도 하지 못했다. 야, 이 새끼 존버하네. 오늘은 이쯤 해 두자. 누군가가 말하고 누군가는 내 얼굴에 침을 뱉었다. 조금 더 버티는 수밖에 없다. 그들의 발소리가 멀어져 갔다. 나는 기다시피 해서 공사장을 빠져나왔다.

형, 빨리 일어나. 일어나라고. 희미한 지완의 목소리에 눈을 떴다.

"형, 괜찮아? 괜찮아?"

"어."

"병원 가자."

"됐어."

"누구랑 싸운 거야?"

"아니."

그럼 이 꼴은 뭐냐, 누가 그랬냐, 지완이 다그쳤다. 누군지 이름만 대면 당장 잡으러 나갈 기세였다. 이 새끼들, 내 손에 잡히기만 해 봐라. 지완의 허세에 웃음이 나왔다. 순간, 그들의 검은 마스크가 떠올랐다. 어쩌면 그들 중에 내가 아는 얼굴이 있는지도 모른다. 지완은 상대가 몇 명이었냐, 몇 살이나 처먹은 것 같더냐, 아무 이유도 없이 그런 거냐고 물었다. 내가 잘 모르겠다고 하자 신고해야겠다며 휴대전화를 들었다. 나는 안 된다고 손을 내저었다. 왜? 복수할까 봐? 지완이 물었다. 그게 다는 아니지만 그것도 이유 중의 하나였다. 오늘은 이쯤 해 두자, 하지 않던가. 다음에 또 하겠다는 건데. 무엇보다 지금은 그 어떤 것도 생각할 수가 없고 생각하기도 싫었다. 지완이 씩씩거리며 내 손을 잡았다. 따뜻한 기운이 온몸으로 퍼지는 느낌이었다.

석 달 전에 편의점 근처의 골목에서 지완을 처음 봤다. 덩치만 컸지 나보다 서너 살쯤 어려 보였다. 다짜고짜 돈을 내놓으라고 했다. 무시할까 하다가 주머니를 뒤져 천 원을 내밀었다. 이걸 돈이라고 내놓는 거야? 더 내놔. 있는 거 다. 녀석이 커터칼을 빼 들었다. 살짝 가소로웠다. 굳이 실랑이하고 싶지 않았다. 다음부터 많이 가지고 다닐게. 다음? 다음이 어딨어? 녀석이 칼을 내 얼굴 가까이에 댔다. 나는 꼼짝 않고 녀석을 뚫어져라 쳐다봤다. 녀석은 나를 똑바로 쳐다보지도 못했다. 초짜였다.

사나흘쯤 지나 녀석이 골목에서 내 또래에게 맞고 있는 걸 봤다. 잘못했어요, 다신 안 그럴게요. 나에게 그랬듯이 어설프게 돈을 뜯으려고 한 모양이었다. 그냥 지나치려고 했는데 녀석과 눈이 마주쳤다. 이상하게 발이 안 떨어졌다. 그만하지? 내 말과 눈짓에 때리던 녀석이 물러섰다. 형, 고마워. 난데없이 형이라니, 웃기는 녀석이었다. 나는 무심한 척 돌아섰다. 한참 걷고 있는데 등에 뭔가가 달라붙는 느낌이었다. 걸음에 속도를 냈다. 등 뒤의 발소리도 빨라졌다. 뭐냐? 너. 왜 따라오냐? 따라가는 거 아닌데요. 따라오고 있잖아, 인마. 그냥 아무 데나 가는 거예요. 집이 어딘데? 집 없는데요. 눈이 마주치는 순간, 기이하게 마음이 흔들렸다. 커다란 눈을 반짝이며 웃던 동생이 떠올랐다. 녀석을 내가 사는 원룸으로 데려왔다. 라면을 끓여 주었는데 녀석이 훌쩍거리기만 하고 먹지를 못했다. 울고 싶으면 실컷 울어. 참지 말고. 덩치는 코끼리만한 녀석이 엉엉 소리 내어 울었다. 하룻밤만 재워 주려고 했던 것이 벌써 석 달째였다.

"형, 요즘 좀 이상해. 형을 보고 있으면 나까지 우울해져."

뜬금없는 말이 화살처럼 가슴으로 날아왔다.

"뭐, 형이 정상이라면 나랑 같이 살지도 않겠지만."

내가 아무 말도 하지 않자 지완이 내 눈치를 보며 계속했다. 조금 전에 한 말은 농담이다, 식충이라서 미안하다, 알바만 구하면 나가겠다. 나는 정신이 흐릿해서 지완의 말을 자꾸 놓쳤다.

아침이 밝았는데 온몸이 욱신거렸다. 일어나려고 하자 지완이 붙잡으며 오늘은 알바고 뭐고 그냥 쉬라고 했다. 내가 밤새 이를 갈면서 잠꼬대를 했다나. 잘리면 네가 책임질 거냐고 쏘아붙이자 금세 꼬리를 내렸다. 사장은 처음에 내가 만 열여덟 살이 안 됐는데 부모동의서 없이 고용했다는 걸 빌미로 최저 시급도 안 주면서 일하는 시간을 늘렸다. 또 행동이 굼뜨다느니 진열대가 어수선하다느니, 손님에게 상냥하게 굴라느니 사사건건 트집이었다. 하지만 나는 한 달 전에 만 열여덟 살이 됐다. 당당하게 맞서 볼까 하다가도 그동안 봐준 데 대한 최소한의 예의는 지키고 싶었다.

바람이 건들건들 불었다. 걸음에 속도를 냈다. 바람이 가슴속으로 달려 들어온다. 불 질러! 확 싸질러 버리라고! 주머니 속의 라이터를 꺼냈다. 하지만 태울 만한 것도 없고 태울 장소도 마땅치 않았다. 시간만 허비하고 아르바이트 시간에 임박해서야 편의점에 도착했다.

문을 열자마자 머리가 희끗희끗한 중년 남자가 얼굴이 불콰한 채 들어왔다. 육포와 오징어를 몇 번 들었다 놨다 하더니 나와 눈이 마주치자 헛기침을 했다. 한참이 지나서야 과자 한 봉지와 막걸리 두 병을 계산대에 올려놓았다. 봉투 필요하세요? 당연한 거 아냐? 이걸 다 어떻게 들고 가냐? 오십 원입니다. 뭐? 봉투 값이 오십 원? 너 지금 장난하냐? 요즘은 다 받는데요. 뺨이라도 칠 기세였다. 군말 없이 봉투를 내주어야 하나 말아야 하나 갈등이 되었다. 그사이에 그가 막걸리를 따서 통째 들고 마셨다. 매장 안에서 술을 마시면 안 된다고 해도 아랑곳하지 않고 욕까지 퍼부었다. 야, 넌 에미 애비도 없냐? 그 말이 가슴을 정통으로 찌르고 들어왔다. 없으면 어쩔 건데요? 이게 어따 대고 말대꾸야? 더 이상 대꾸하기도 귀찮아서 입을 다물었더니 그가 말을 바꾸었다. 한 번만 공짜로 줘라. 봉투 그거 얼마나 한다고. 이번에는 그를 쳐다보지도 않았다. 너, 내가 누군지 알아? 정 그렇게 나오면 사장한테 다 말한다. 그는 끈질기게 주절거렸다. 나는 마지못해 봉투를 그냥 주겠다고 했다. 그는 진작 그럴 일이지, 하고는 기어이 막걸리 한 통을 다 비웠다. 그뿐이 아니었다. 막걸리 통과 과자 봉지를 바닥에 내동댕이치고 나갔다.

과자 봉지를 치우다가 태우고 싶은 충동에 휘말렸다. 건물 뒤편의 화장실 옆, 사람의 발길이 뜸한 골목으로 향했다. 불을 붙이자마자 과자 봉지가 그을음을 내면서 쪼그라들었다. 성에 차지도 않고, 허탈했다. 순간, 여덟 개의 눈 중 두 개가 떠올랐다. 일주일쯤 전에 편의점에 왔던 민짜! 키만 컸지 미성년자가 분명해 보였는데 술과 담배를 달라고 했다. 민증을 보자고 했더니 구시렁대면서 내밀었다. 사진하고 얼굴이 다른데요. 이 새끼가 눈은 장식으로 달고 다니나? 그는 사진 속의 얼굴이 본인이라고 우겼다. 어쨌거나 술과 담배는 안 된다고 잘랐다. 대번에 주먹이 날아왔다. 뺨이 얼얼했다. 되받아치려고 했을 때는 그가 이미 술과 담배를 들고 달아난 뒤였다. 사흘 뒤에 그가 다시 왔을 때는 마침 사장이 근처에 있었다. 사장에게 문자를 보내 사정을 알렸다. 사장이 달려와 혼쭐을 내주고는 부모에게 연락해 사흘 전에 가져간 술과 담배 값까지 받아 냈다. 그 일에 대한 보복이라고 해도 이건 너무 심했다. 불현듯 그 공사장에 가 보고 싶은 충동이 일었다.

거기에 가서 뭘 하자는 건가. 하지만 발은 벌써 그쪽을 향해 가고 있었다. 지완의 말대로 요즘 내가 비정상인 걸까. 넉 달 전 할머니가 돌아가셨을 때 아빠를 봤다. 십여 년 만이었다. 장례 기간 내내 데면데면하다가 추모공원에서 돌아오는 차 안에서 아빠가 내 옆에 앉았다. 내가 너한테 줄 건 네가 살고 있는 방뿐이다. 보증금은 남겨 둘 테니까 월세는 네가 알아서 해라. 혼자 잘 살겠다고 자식을 버린 사람이 한다는 말이 고작 그거라니. 두 번 버려진 느낌이었다.

공사장에는 군데군데 철근과 목재가 쌓여 있고 시멘트 가루가 날렸다. 어둠 속에서 번득이던 여덟 개의 눈이 안겨 준 공포를 생각하면 아직도 오싹했다. 신문지를 구겨서 불을 붙였다. 금방 불길이 치솟았다. 더 태울 만한 것이 있나 살펴봤지만 각목 쪼가리 하나 눈에 띄지 않았다. 신문지에 붙었던 불은 금세 사그라졌다. 흡족하지는 않지만 가슴을 옥죄던 공포가 사라지고 개운했다. 콧속이 근질거리면서 재채기가 나왔다. 시도 때도 없이 재채기가 나오던 때가 있었다.

내가 여섯 살 때, 엄마가 집을 나갔다. 얼마 지나지 않아 아빠가 새엄마를 데리고 왔다. 새엄마가 현관으로 들어서는 순간, 느닷없이 재채기가 나오더니 멈추지 않았다. 새엄마는 못 볼 거라도 본 표정이었다. 그때부터 나는 하루의 대부분을 방 안에 틀어박혀 지냈다. 새엄마는 아빠 앞에서만 나에게 알은체를 했다. 아빠는 나와 단둘이 있을 때만 말을 붙였는데, 그런 경우는 드물었다. 나는 그들의 공간에 거추장스러운 짐짝이나 다름없었다. 그들 사이에 아기가 태어나기 전까지는 그래도 괜찮았다. 나는 동생이 태어났을 때 기쁘고 신기했다. 하지만 새엄마는 나를 더러운 세균 취급하면서 동생 옆에 가지 못하게 했다. 심지어 동생을 쳐다보지도 못하게 했다. 그때는 그래도 좀 나았다. 태어난 지 여섯 달이 채 안 되어 동생이 죽자 재수 없는 나 때문이라고 했다. 동생이 죽었는데 눈물 한 방울 안 흘릴 수가 있냐, 밥이 목구멍으로 넘어가냐, 잠이 오냐, 사람이 아니라 괴물이다. 새엄마가 때리면 맞고 굶기면 굶었다. 그럼에도 새엄마와 같이 살기를 바랐다. 그래야 아빠와도 함께 살 수 있으니까. 혼자가 된다는 건 상상하기도 싫었다. 하지만 새엄마는 내가 눈앞에서 사라지기를 바라는 게 역력했다. 아니, 분풀이 대상으로 내가 필요한 것도 같았다. 상황에 따라 새엄마의 말과 행동은 달라졌지만 때리는 것만은 멈추지 않았다. 처음에는 맞으면서 속으로 빌었다. 내쫓지만 말아 주세요! 버리지만 말아 주세요! 하지만 어느 순간부터 참을 수가 없었다. 왜 때려요? 당신이 뭔데 나를 때려요? 뭐? 너 어디서 배워 먹은 말버릇이야? 또 때리면 경찰에 신고할 거예요. 뭐? 기껏 키워 줬더니 은혜는 못 갚을망정 신고? 어디 할 테면 해 봐. 저런 것도 자식이라고, 대체 누굴 닮아서 저 모양이야? 당신 말 다했어? 아빠와 새엄마 사이에 언성이 높아지는 일이 잦아졌다. 결국 아빠는 나를 할머니 집으로 보냈다. 그 무렵의 일은 기억하고 싶지 않아서인지 기억나지도 않았다. 함께 산 지 1년쯤 지났을 때 할머니가 말했다. 이제 아빠는 없다고 생각해라. 차라리 아빠가 죽었다는 소식을 들었다면 기분이 나았을지 모른다. 어쨌거나 나는 알고 있었다. 그즈음 아빠에게 다시 아들이 생겼다는 것을.

　방 안에 라면 냄새가 진동하고, 지완은 잠들어 있었다. 잠든 지완의 얼굴을 보고 있으면 동생이 생각났다. 동생은 수시로 병원에 들락거렸고 집에서도 동생 얼굴을 볼 기회가 별로 없었다. 한번은 새엄마가 외출한 틈을 타서 안방에 들어갔다. 동생은 잠들어 있었는데, 볼을 한번 만져 보고 싶었다. 볼에 손을 대자 동생이 눈을 떴다. 나는 동생이 울까 봐 겁났는데 동생이 눈을 방긋했다. 동생의 손을 잡자 꺄르르 소리를 내며 웃었다. 동생을 안았는데 동생의 체온이 고스란히 전해졌다. 동생을 친구들에게 자랑하고 싶었다. 동생을 안고 현관문을 나서다가 새엄마와 마주쳤다. 그녀는 다짜고짜 내가 동생을 내다 버리려고 했다고 소리치며 나를 때렸다. 동생이 울기 시작했다. 나는 맞는 것보다 동생이 우는 것이 더 안쓰러웠다. 내 방에 웅크리고 앉아서 동생의 울음소리가 그치기만 기다렸다. 며칠 뒤 동생은 다시 병원으로 갔고, 영영 집에 돌아오지 못했다. 동생을 다시 볼 수 없다는 걸 믿을 수가 없었다. 나 때문에 동생이 죽은 것만 같아 두려워서 눈물도 나오지 않았다.

지완은 라면을 두 개나 먹어서, 창문을 열어 두지 않아서 미안하다고 했다. 나는 똑바로 하라고 소리쳤다. 지완이 움찔하며 내 눈치를 봤다. 한동안 어색한 침묵이 흘렀다. 지완이 뜬금없이 내가 친형이었으면 좋겠다고 했다. 나도 지완이 친동생이었으면 하고 생각한 적이 있었다. 같이 살자고 해 볼까. 아니, 책임지지 못할 말은 하지 않는 편이 나았다. 지완이 한참 무슨 생각에 잠겨 있다가 말문을 열었다. 우리 아빠 있잖아.

"감옥에 갔어. 빚을 많이 졌는데 갚을 수가 없어서."

처음 듣는 이야기인데 이미 알고 있었던 것처럼 무덤덤했다. 지완은 아빠가 감옥에 간 뒤 시설에 들어갔는데 일주일 만에 도망쳤다. 지금도 시설에서 지완을 찾고 있을지 모른다. 다음은 엄마 이야기였다. 엄마는 주방 일, 건물 청소, 때밀이까지 안 해 본 게 없었다. 그렇게 번 돈을 아빠가 다 날려도 화 한번 안 냈다. 그래서 암에 걸렸을 거라나. 뭐라고 위로해야 하는데 막상 말이 나오지 않았다.

"우리 아빤 정말 나쁜 사람이야."

그래도 널 버리지는 않았잖아.

나는 속으로 말했다.

"난 이 세상에서 제일 한심한 사람이 우리 아빤 줄 알았어. 근데 지금 보니까 아빠보다 더 한심한 사람은 나야. 형한테 빈대나 붙고……."

"그런 소리 할 거면 잠이나 자."

지완이 잠시 멈췄다가 계속했다. 나도 우리 아빠처럼 되면 어떡하지? 자식은 부모를 닮는다잖아. 난 생긴 것도 아빠를 빼다 박았거든. 나는 쓸데없는 걱정은 하지 말라고 했다. 넌 그러지 않을 거라고. 지완이 주머니에서 코팅한 사진을 꺼내 보여 주었다. 아빠와 함께 찍은 사진 속에서 지완은 활짝 웃고 있었다.

"너, 아빠 보고 싶냐?

"아니."

말은 그렇게 해도 보고 싶은 표정이었다.

"형네 아빠도 형하고 닮았어?"

"그만해라."

나도 모르게 목소리가 커졌다. 전에도 한번 지완이 부모님에 대해 물은 적이 있었다. 그딴 거 없음. 지완이 흠칫하며 내 눈치를 봤다. 난 달에서 태어났거든. 뭐? 어떻게? 그런 게 있어. 와! 부럽다. 나도 다시 태어날 때는 달에서 태어나면 좋겠다.

지완과 언제까지 함께 지낼 수 있을까. 내가 녀석에게 나쁜 영향을 미치는 건 아닐까. 재수 없는 나와 함께 있다가 녀석까지 불행해지면? 동생처럼 죽을 수도 있다고 생각하면 아찔했다.

하루는 새엄마가 집을 비운 사이에 동생이 얼굴이 발개진 채 숨을 몰아쉬었다. 답답해서 그러는 줄 알고 우선 창문부터 열었다. 찬 기운이 밀려들어 왔다. 동생은 열이 내리기는커녕 숨이 점점 가빠졌다. 창문을 닫아야 한다는 걸 알 수 있었지만 나는 그러지 않았다. 어차피 쳐다볼 수도 만질 수도 없는 동생인데 될 대로 되라지. 아니, 어쩌면 동생이 없어지기를 바랐는지도 모른다.

하루라도 빨리 지완을 시설로 돌려보내야 하지 않을까. 내가 무슨 짓을 할는지 몰라 스스로 두려울 때가 있다.

달빛이 방 안으로 들어와 지완의 얼굴에 그림자를 드리웠다.

"형, 이제 나가라고 해도 돼. 세 달이나 공짜로 먹여 주고 재워 줬잖아."

"나갈 거면 아무 말 하지 말고 그냥 조용히 나가."

지완은 내 말에 충격을 받았는지 시무룩했다. 나는 일부러 못 본 척하며 누웠다. 녀석도 누워 한참 뒤척거리더니 어느 틈에 코를 골았다.

녀석이 집에 온 첫날이었다. 녀석의 코 고는 소리에 이끌려 이마를 쓰다듬어 보았다. 설명하기 어려운 감정이 물큰 치솟았다. 녀석의 배에 다리를 슬쩍 올리고 녀석의 머리를 감싸 안았다. 녀석이 내뿜는 숨이 목을 간질였다. 누군가와 살을 맞대고 자는 것이 얼마나 푸근한 것인지 처음 알았다.

다음 날 방을 나서는 지완을 붙잡았다. 하루 더 있다가 갈래? 지완이 머뭇거렸다. 싫음 말고. 지완이 거절할까 봐 가슴이 조마조마했다. 정말 그래도 돼요? 지완의 눈이 반짝거렸다. 나는 애써 무뚝뚝한 표정을 지었다. 다음 날 지완이 하루만 더 있게 해 달라고 했다. 정 갈 데 없으면 그러든지. 나는 심드렁하게 말했다. 다음 날은 지완이 뭐든 시키는 대로 할 테니까 며칠만 더 있다 가면 안 되냐고 했다. 하는 거 봐서.

유튜브 먹방과 1인 방송을 보다가 싫증이 나서 뉴스로 눈을 돌렸다. 정치가 어떻고 경제가 어쩌고 만날 들어도 그 말이 그 말이었다. 눈에 들어오는 뉴스를 클릭했다. 북한 이탈 주민 출신 40대 여자와 다섯 살배기 아들이 숨진 지 수개월 만에 발견됐다. 또 아이의 출생 비밀을 폭로하겠다고 협박해 고액의 돈을 뜯어낸 대리모가 법원으로부터 징역을 선고받았다. 이어 가을장마와 태풍이 북상 중이라는 예보였다.

바퀴벌레 한 마리가 벽을 기어오르고 있었다. 며칠 전부터 눈에 거슬리던 놈이었다. 약을 놓아도 귀신같이 피했다. 오늘은 본때를 보여 줘야지. 광고용 소책자로 놈을 겨냥했다. 어느새 놈이 감쪽같이 사라지고 없었다. 놈에게 농락당한 기분이었다. 놈이 숨을 만한 곳은 다 뒤졌다. 놈이 나타났다가 숨기를 반복했다. 속이 부글거렸다. 서랍장 뒤편에서 기어 나오는 놈을 맨손으로 덮쳤다. 납작하게 눌린 놈의 사체를 휴지에 싼 뒤 불을 붙였다. 손끝이 뜨거웠지만 가슴은 찌릿했다. 새엄마는 동생의 장례를 치르러 가면서 애가 불구덩이로 들어가는 걸 어떻게 보느냐고 소리쳤다. 할 수만 있다면 내가 불구덩이로 들어가고 싶었다. 그 뒤로 한동안 불구덩이에서 발버둥 치는 악몽에 시달렸다.

아침에 눈을 떴는데 지완이 보이지 않았다. 화장실에라도 갔나 했는데 기척이 없었다. 어디를 갔는지 밥상을 차렸을 때까지도 돌아오지 않았다. 전화도 받지 않고, 한참 뒤에야 운동 중이라는 메시지가 들어왔다. 믿기지 않았지만, 확인할 수도 없고, 굳이 확인하고 싶지도 않았다.

오늘따라 편의점에 손님이 많았다. 게다가 컵라면을 엎는 사람, 음료수를 쏟는 아이, 쓰레기를 치우지 않고 간 교복들로 인해 눈코 뜰 새가 없었다. 신사복 차림의 40대가 들어와 곧장 카운터로 왔다.

"야, 알바. 잔돈 좀 바꿔 줘."

"없는데요."

그가 잔돈이 왜 없냐며 인상을 썼다. 아침이고, 여기는 은행이 아니라고 했다. 바꿔 주기 싫으면 말 것이지 이게 어디서 말대꾸야?

반말에 억지를 쓰는 사람까지 오늘따라 진상들이 줄을 이었다. 이제 이 일도 그만둘 때가 된 걸까. 다른 일에 비해 머리 쓸 필요도 없고 몸만 움직이면 되는 일이라 별반 나쁘지 않았다. 피곤에 절어 퇴근해서 엎어져 자면 그만이었다. 하지만 하루에도 몇 번씩 진상 손님들과 실랑이를 하다 보면 넌더리가 났다. 이걸 그만두면 뭘 할까. 사람들은 하고 싶은 일을 하면서 살아야 한다고 쉽게 말한다. 나는 무슨 일이 하고 싶은지 생각해 본 적이 없다. 하고 싶은 일이 있기나 한 걸까. 그런 걸 찾다가 시간만 낭비할 게 뻔했다. 월세 낼 날도 코앞이었다. 지완이 온 뒤로는 식비도 만만치 않았다. 지완은 덩치에 맞게 식욕이 왕성하고, 나날이 식탐이 늘었다.

퇴근길은 왠지 모르게 맥이 빠졌다. 느릿느릿 걷고 있는데 죽은 매미 한 마리가 땅에 등을 대고 나동그라져 있었다. 얼른 주워 주머니에 넣었다. 놈을 태울 생각을 하자 벌써부터 몸이 근질거렸다.

밤 열 시가 넘었는데 지완이 연락도 없이 들어오지 않았다. 무슨 일이 있는 걸까. 무슨 사고를 당한 건 아니겠지? 휴대전화에서는 받을 수 없다는 멘트만 반복되었다. '돈 버는 방법, 초기비용 0원, 부담 없이 시작 가능해요', '만 14세 이상이라면 누구라도 OK! 이력서도 면접도 필요 없이 의지만 있으면 바로⋯⋯' 며칠 전 지완의 주머니에 들어 있던 전단지가 떠올랐다. 너 이런 데 가면 어떻게 되는지 알지? 단단히 못을 박아 두었는데도 마음이 놓이지 않았다. 어디로 튈지 모르는 애였다.

죽은 매미나 태우자 싶어 종이를 챙겨 근처 놀이터로 나갔다. 마침 놀이터는 텅 비어 있었다. 종이에 불을 붙였다. 불꽃이 일고 순식간에 종이가 타들어 가면서 그을음이 피어올랐다. 흡, 숨을 길게 들이켜는 순간, 인기척이 났다. 야, 너 뭐야? 거기서 뭐 해? 불이 붙은 종이를 발로 뭉개 버리고 달아났다.

깜박 잠이 들었는데 휴대전화가 울렸다. 지완! 하지만 막상 휴대전화 속에서 흘러나오는 목소리는 낯설었다. 이 새끼가 내 구역에서 나대길래 손 좀 봐 주고 있거든. 데려가고 싶으면 돈 있는 거다 갖고 나와. 이 새끼가 형만 찾아서 말이지. 형! 지완의 목소리가 섞여 들었다. 라이터와 신문지를 챙겼다.

유흥가의 뒷골목, 한 업소의 창고 안이었다. 지완이 팬티 차림으로 원산폭격, 일명 대가리 박기를 하고 있었다. 또래 아이 셋이 지완을 손가락질하며 낄낄거렸다. 가슴속에서 불꽃이 확 당겨졌다. 녀석들을 팬티 바람으로 세우고 준비해 온 신문지에 불을 붙였다. 매부리코에 덩치가 큰 녀석의 팬티를 태웠다. 녀석이 납작 엎드렸다. 잘못했어요. 나머지 녀석들도 따라 했다. 빈 병 수거용 플라스틱 상자를 들어 올려 셋을 번갈아 가며 위협하고는 돌려보냈다. 매부리코가 달아나면서 소리쳤다. 복수할 테니까 두고 봐.

"미안해. 형 폰 번호 말 안 할라 했는데…….."

지완이 내 눈을 피하려고 애썼다.

"잘했어. 내가 네 보호자잖아."

"정말 형이 내 보호자야?"

"그럼 아니냐?"

"고마워, 형. 근데 그 새끼들이 복수하면 어떡하지? 코 각진 애 있잖아, 걔네 형 완전 양아친데 주먹이 장난 아니래."

"그 자식들 집 알아?"

지완은 매부리코의 집을 알고 있었다. 유흥가 뒤쪽 시장 통 부근 주택가의 반지하.

"근데 걔네 집은 왜?"

"그냥. 또 그러면 가만 안 둘라고. 일단, 밥이나 먹으러 가자."

마침 중국집 간판이 눈에 들어왔다.

지완에게 먹고 싶은 거 다 시키라고 했다. 녀석이 고작 짜장면 곱빼기를 시켰다. 나는 탕수육을 추가했다. 음식이 나왔는데도 녀석은 젓가락을 들지 않았다.

"아빠가 감옥 가기 전날 짜장면 사 줬어. 탕수육하고."

"쓸데없는 생각 하지 말고 먹기나 해."

내 말이 떨어지기가 무섭게 지완이 먹기 시작했다. 폭풍 흡입 수준이었다.

"당분간 알바 구할 생각은 말아라. 사내자식이 삐끼가 뭐냐? 치사하게."

일부러 화제를 돌렸다.

중국집을 나와서 나란히 걷는데 지완의 머리가 내 어깨를 훌쩍 넘어섰다. 자식이 그새 많이 컸다 싶으니 왠지 뿌듯했다.

"형 이거 없는 거 다 알아."

지완이 엄지와 검지로 동전 모양을 만들며 말했다.

"너, 나 무시하냐? 자식이 건방지게."

당분간 둘이 먹고 살 건 있으니까 알바 할 생각은 하지 말라고 일침을 놓았다. 지완이 입가를 손등으로 닦으며 계속했다. 사실은 찾아간 데마다 부모님 동의서를 가져오라고 했다. 그런데 말을 잘해 뒀다. 분명히 연락 오는 데가 있을 거다. 그럴 가능성이 거의 없다는 걸 저도 알고 있는 눈치였다

"하지 말랬다. 알았어, 몰랐어?"

"알았어. 그럼 형도 약속해."

"약속? 뭘?"

"불장난하지 않겠다고. 그러다 정말 불이라도 나면 어떡해?"

지완은 처음부터 내가 뭘 태우는 걸 알고 있었다. 집에서 뭔가 타는 냄새를 맡곤 했는데, 한번은 싱크대에서 종이가 타고 남은 재를 봤다. 내가 물을 마실 것도 아니면서 늘 물병을 가지고 다니는 것도, 요즘 들어 부쩍 더 자주 태운다는 것도 알았다. 그런 걸 하기 때문에 내가 이상해진 것인지, 내가 이상해져서 그런 걸 하는지 모르겠다나. 지완에게 알몸을 보인 것처럼 부끄러웠다. 지완이 자기 때문에 스트레스를 받아서 그러는 거냐며 고개를 수그렸다. 자기도 스트레스를 받으면 물건을 훔치거나 돈을 뺏고 싶어진다고. 너 때문이 아니라고 말해 주었다. 지완이 안심하는 표정이었다.

나는 왜 뭔가를 태우지 않으면 견딜 수가 없는 걸까. 태우기 직전의 그 미묘한 감정을 뭐라고 설명할 수 있을까. 굳이 말하면 내 몸속에 웅크리고 있는 검은 그림자를 태우고 싶은 건지도 모른다. 맨 처음 뭔가를 태우고 싶은 생각이 들었던 건 동생이 죽었을 때였

고, 결정적으로는 아버지 집을 나올 때였다. 그 집을 불사르고 싶었다. 하지만 정작 뭔가를 태우기 시작한 것은 할머니와 함께 살게 된 뒤였다. 할아버지 제삿날 할머니가 켜 둔 촛불에 휴지를 갖다 대었다. 휴지가 타들어 가는 것을 보는 순간, 짜릿했다. 그날 밤 이불에 오줌을 쌌고, 할머니는 불장난하지 말라고 주의를 주었다. 뜨끔했지만 불장난을 멈출 수 없었다. 이불에 오줌을 싸는 것도 중학교 1학년 때까지 이어졌다.

어느 날인가 달빛이 환한 밤이었다. 할머니가 나를 불러 앉혔다. 불장난이 하고 싶으면 하늘을 봐라. 달 속에 불꽃이 있단다. 하루는 꿈을 꿨는데 말이다, 달에서 불꽃이 빠져나왔다. 너무 아름다워서 입이 안 다물어졌는데 깨어 보니 네가 태어나 있었다. 그렇게 나는 달에서 태어난 아이가 되었다. 불꽃을 품고 있다는 달이 너무 고요해서 할머니의 말이 곧이들리지 않았지만 뭔가를 태우고 싶을 때면 하늘을 봤다. 달이 뜬 날은 물론, 달이 뜨지 않은 날조차도 달이 보였다. 그러면 태우고 싶은 마음이 사라졌다. 하지만 할머니가 돌아가신 뒤 다시 뭔가를 태우지 않으면 안 되었다.

돌아가시기 며칠 전에 할머니는 아빠의 전화번호가 적힌 메모지를 내밀었다. 그걸 받으면 아빠를 용서하는 거라는 생각이 들었다. 받지 않았다. 나에게 아빠는 오래전에 죽은 사람이었다. 겨우 여섯 살인 나를 두고 다른 남자를 만나 집을 나갔다는 엄마는 더

했다. 엄마는 처음부터 존재하지 않은 사람이나 다름없었다. 만약 엄마가 그러지 않았다면? 아빠가 재혼하지 않았더라면? 아빠와 새엄마 사이에서 아기가 태어나지 않았더라면? 그 아기가 죽지만 않았더라도 이렇게는 안 됐을지 모른다. 물론, 지금 그런 것들은 아무 의미도 없다. 살아 있다는 게 중요할 뿐. 하지만 어떻게 살고 있느냐는 문제가 되겠지. 꿈도 희망도 없이 살고 있으니까.

지완과 나란히 누웠다. 오랜만에 깊은 잠을 잘 수 있을 것만 같았다. 지완이 내 옆구리를 간질였다. 웃음을 참을 수가 없었다. 나도 녀석의 옆구리를 간질였다. 지완이 몸을 뒤틀며 웃었다. 우리는 한동안 그렇게 웃었다. 실컷 웃어서 그런지 몸이 가벼워진 것 같고, 좋은 꿈을 꾸는 기분이었다. 비가 온다고 하더니 바람 소리가 거셌다.

새벽부터 비가 쏟아지더니 오후 들어서면서 빗발이 약해졌다. 저녁이 되자 언제 비가 왔냐는 듯 말짱하게 갰다. 하루가 별 탈 없이 지나갔다. 늘 오늘처럼만 살 수 있다면. 지완이와 치킨이라도 시켜 먹어야겠다는 생각이 들었다.

교대 시간이 넘었는데 사장은 나타나지도 않고 연락도 없었다. 두 시간이 지나서야 얼굴을 내밀고는 유통기한이 지난 도시락을 가져가라고 했다. 싫은데요. 연장근무에 대한 시급을 달라고 단호하게 말했다. 사장이 너답지 않게 갑자기 왜 그러냐, 하면서 살살 구슬렸다. 나는 굽히지 않았다. 사장의 눈은 웃고 있지만 입꼬리는 처져 있었다. 너, 이러면 안 되는 거 아니냐? 은혜를 알아야지, 하는 표정. 문득 뭔가를 태우고 싶어 몸이 근질거렸다.

신문지를 움켜쥐고 매부리코의 집으로 가는 골목으로 접어들었다. 집집마다 앞에 쓰레기가 잔뜩 쌓여 있었다. 하루는 꿈을 꿨는데 말이다, 달에서 불꽃이 빠져나왔어. 너무 아름다워서 입이 안 다물어지더라. 깨어 보니 네가 태어나 있었다. 할머니는 왜 나에게 그런 말을 해 주었을까. 그때 물었어야 했다. 달에서 태어난 아이는 어떻게 살아야 하는 거냐고. 신문지에 불을 붙여 쓰레기 더미에 던졌다. 순식간에 불길이 확 번지면서 쓰레기가 타들어 갔다. 찌릿한 쾌감이 혈관을 관통했다. 불이야, 불! 소리쳤다. 불이야! 이내 골목 안이 술렁였다. 저놈, 저놈 잡아라. 나는 뒤도 안 돌아보고 줄행랑쳤다.

대로변에 인접한 공원에 다다랐다. 내가 또 무슨 짓을 한 거지? 걷기 운동을 하는 대열에 끼어 30분쯤 걸었다. 집으로 가려고 방향을 틀었는데, 휴대전화가 울렸다. 낯선 번호였다. 받을까 말까 망설이는 사이에 문자가 들어왔다. 동생 찾고 싶으면 나와! 버스로 20분 정도 걸리는 야산의 공터. 지완에게 전화를 걸었는데 받을 수 없다는 멘트만 계속되었다. 느낌이 좋지 않았다. 신고를 해야 하나 말아야 하나 갈등하다가 말았다. 경찰이 출동하면 지완의 신분이 들통날 것이고, 지완은 시설로 가야 할 테니까.

인적이 끊긴 산비탈은 정적에 휩싸여 있었다. 지완은 보이지 않고 나보다 두세 살 정도 위로 보이는 녀석 셋이 나를 에워쌌다. 야구방망이를 든 녀석도 있었다. 그들이 누구인지 알 수 있었다. 복수할 테니까 두고 봐. 매부리코! 걔네 형 완전 양아친데 주먹이 장난 아니래. 순간, 옆구리에 야구방망이가 훅 들어왔다. 나는 바로 고꾸라졌다. 나머지 하나가 내 주머니에서 휴대전화를 꺼내 내 앞으로 던지며 전화를 걸라고 했다. 누구에게 전화를 걸라는 건가. 멀뚱하게 그를 올려다봤다. 너네 아빠한테 걸어, 새꺄! 그가 눈을 부릅떴다.

"그런 거 없는데요."

"이 새끼가 정말?"

몇 번을 말해도 그들은 막무가내였다. 야구방망이로 등을 후려치고 발길질을 멈추지 않았다. 재수 없는 나는 또 재수 없는 일을 맞게 된 걸까. 왜 번번이 이런 일이 생기는 건가. 입술이 터졌는지 입안에서 피비린내가 느껴졌다. 얼마나 더 버틸 수 있을까. 저들은 벌써 나를 묻을 구덩이를 파 두었는지도 모른다. 저번과는 또 다른 공포감이 나를 에워쌌다. 내가 이렇게 죽어 버리면 지완은 어떻게 될까. 지완에게 하고 싶은 말이 있는데. 힘들 때는 하늘을 보라고. 달 속에 불꽃이 있다고. 순간, 내 휴대전화가 울렸다. 그들 중 하나가 휴대전화 액정을 보더니 낄낄거리면서 내 귀에 댔다. 형, 어디야? 왜 안 들어와? 스피커폰에서 지완의 목소리가 흘러나왔다. 형. 형! 어디냐니까? 한 녀석이 지완에게 아빠를 바꾸라고 했다. 휴대전화 저쪽에서 흘러나오는 지완의 목소리를 어둠이 삼켜 버렸다. 더 이상 숨을 쉬기도 힘들었다. 몸과 정신이 분리되는 느낌이었다.

"이 새끼 눈동자가 이상해. 숨소리도 그렇고."

"어디 봐."

이 새끼 이거 죽는 건 아니겠지? 그러니까 급소는 피하랬잖아. 야, 튀자. 빨리 튀어! 그들의 목소리가 멀어져 갔다. 저들이 나를 두고 간 게 맞나? 죽지는 않을 만큼 맞은 건가? 집으로 갈 수는 있을까. 지완을 다시 볼 수 있을까. 휴대전화를 찾았지만 어두워서 보이지 않았다. 아니, 나는 꼼짝할 수가 없었다. 지완을 불렀는데 내 입에서는 꺼억꺽 소리만 났다.

"형, 형! 괜찮아?"

내 몸이 성한 데가 없으며, 갈비뼈에 금이 가서 움직이면 안 된다고 했다. 링거를 맞고 있는 내 모습이 낯설었지만, 비로소 살아 있다는 안도감을 느꼈다.

"그 양아치들 내가 신고했어. 나쁜 짓 했으면 벌을 받아야지."

하지만 막상 쓰러져 있는 나를 발견하고 구급차를 부른 사람은 밤늦게 개를 산책시키던 주민이었다. 내 휴대전화의 최근 통화 내역에 '내 동생 지완이'가 있는 걸 보고 지완에게 연락했다. 지완은 내가 자기를 그렇게 저장해 놓은 줄 몰랐다고, 자기도 이제 '싸랑하는 울형'이라고 저장했다며 씨익 웃었다. 웃는 지완의 얼굴에 동생의 얼굴이 겹쳐졌다.

간호사가 들어와서 지완을 향해 환자에게 말 시키지 말라고 주의를 주었다. 간호사가 나가자 지완은 나에게 말하지 말고 듣기만 하라며 계속했다. 빨리 낫기만 해. 밥도 해 주고 뭐든 다 해 줄게. 콧잔등이 시큰했다.

"울고 싶으면 실컷 울어. 형! 참지 말고."

내가 저한테 했던 말을, 내 목소리까지 흉내 냈다. 웃음이 나왔다.

"나 낼부터 밥도 조금씩 먹고 운동할 거야."

"네가 웬일이냐?"

"살 빼야 형이랑 나랑 진짜 형제로 보일 거 아냐. 간호사 선생님이 형이랑 나랑 닮았대."

"헐! 간호사 선생님 시력이 안 좋으시네."

지완이 지금부터는 자기가 내 보호자라고 하는데 어깨에 힘이 잔뜩 들어가 있었다.

"형 집에 처음 온 날 말이야, 형이 내 이마 쓰다듬어 줬잖아······."

"내가 언제?"

"그때 나 잠 안 잤어. 그냥 잠든 척한 거지. 간지러워 죽는 줄 알았다니까. 그때 형이 친형이었으면 좋겠다는 생각이 들었어. 근데 다음 날 형이 하루 더 있다가 갈래? 그랬잖아. 그 말 듣는데 눈물 터질 뻔했어. 그다음 날 하루 더 있어도 돼, 그랬을 때는 완전······."

"시끄러, 인마. 내일부터 정말 운동하는 거다. 검정고시 공부도 하고."

지완은 손가락으로 브이를 그려 보이고 계속했다. 내가 이래 봬도 랩도 잘하고, 발라드는 두 번만 들으면 가사를 다 외워. 돈 계산도 잘해. 그러니까 검정고시는 껌이야. 나중에 돈 많이 벌어서 형 호강시켜 줄게. 큰 집 지어서 살자. 개도 키우고. 시베리안 허스키? 콜리? 뭐가 좋아? 말만 해. 개똥은 내가 다 치울 테니까 걱정 말고······.

지완의 말을 듣고 있는데 내 몸속의 어두운 그림자가 훅 빠져나가는 느낌이었다. 깊고 푸른 달빛이 길게 그림자를 드리워 지완과 나를 감싸주었다.

뱀파이어 울쌤

수학 선생은 수식을 웅얼거리며 칠판 가득 써 내려갔다. 수학 선생의 등짝에서 햇살이 춤을 추었다. 아이들은 칠판에 적힌 수식 따위 관심도 없었다. 하위 학군으로 꼽히는 중학교의 학생들답게 대부분 수학은 포기했다. 졸다 못해 아예 엎드려 코를 골기도 했다. 4교시가 체육이고 점심시간에는 스포츠클럽 리그전이 있었으니 당연한 일이랄 수도 있겠지만 이건 좀 심했다. 코 고는 소리에 일침을 놓듯 교탁을 때리는 소리가 교실을 흔들었다. 몇 명이 눈을 뜨고 또 몇 명은 자세를 바로잡고 칠판에 적힌 것들을 공책에 옮겨 적었다. 아니, 옮겨 적는 시늉을 했다.

나는 지각해서 받은 벌로 깜지를 쓰는 중이었다. 다시는 지각하지 않겠습니다. 깨알 같은 글씨로 수백 번을 적는다고 습관이 고쳐지는 건 아니었다. 그럼에도 체벌이 허용되지 않자 선생들은 모두 깜지에 혈안이 되었다. 그걸 시키지 않으면 직무유기라고 여기는 게 아닐까 싶을 정도였다. 수학 선생이 다시 칠판을 향해 돌아서서 분필을 들자 종이비행기가 날아다녔다. 나른한 5교시를 견디는 방법 중의 하나였다. 누가 먼저 시작했든 모두가 동조하며 즐기는 자발적 공범이었다.

아악! 정적을 깨는 신애의 비명이 터지자 모두의 시선이 신애에게로 집중됐다. 헌구가 날린 비행기가 목표점을 이탈해서 신애를 향해 날아간 듯했다. 물론, 헌구가 일부러 신애를 향해 비행기를 날리고는 시치미를 떼는 것일 수도 있다. 신애가 다시 한번 아악 소리친 뒤 헌구에게 가방을 던졌다. 그만! 뒤돌아선 수학 선생이 버럭 고함을 쳤다. 그에 아랑곳하지 않고 헌구가 신애를 향해 욕을 내뱉고는 가방을 다시 신애에게 던졌다. 가방을 피하려던 신애가 옆으로 넘어지면서 책상 모서리에 머리를 찧었다. 신애의 이마에서 피가 흐르자 여기저기서 비명이 터졌다. 신애의 눈에서 곧 눈물이 쏟아질 것 같았다. 반장이 헌구에게 그만하라고 하자 헌구가 참견하지 말라며 반장을 밀쳤다. 반장이 몸의 중심을 잃고 비틀하더니 옆에 있는 아이를 덮쳐 그 아이마저 넘어졌다. 삼중추돌, 사중추돌이 어쩌고 하는 가운데 교실은 순식간에 아수라장이 됐다.

신애의 짝이 신애를 부축하고 보건실로 향했다. 태도점수 F에 단체 깜지! 수학 선생이 엄포를 놓자 아이들이 즉각 반발하고 나섰다. 왜 만날 단체예요? 혼자 걷는 서른 걸음이 아니라 모두 걷는 한 걸음이라며? 수학 선생이 급훈을 가리키며 말했다. 마침 수업 종료를 알리는 종소리가 났고 수학 선생이 밉살스럽게 손을 흔들며 교실을 나갔다. 책을 던지고 책상을 치고, 투덜거리는 소리가 끊이지 않았다. 나는 어수선한 교실을 빠져나왔다. 발이 절로 음악 선생 뱀파이어가 있는 교무실로 향했다.

맨 처음 음악 선생을 뱀파이어라고 부른 건 신애였다. 작년 3월, 그녀가 부임하고 얼마 지나지 않았을 때였다. 그녀가 빛보다는 어둠을 지향한다는 게 이유였다. 암막 커튼이 쳐진 음악실에서 흘러나오는 피아노 연주를 듣다 보면 나 또한 신애의 말에 동의하게 되었다. 신애는 그녀의 피아노 연주를 들으면 카타르시스를 느낀다고 했다. 음악실 앞 복도에 서서 볼이 발간 채 양손을 깍지 끼고 뱀파이어 올쌤! 하고 외치곤 했다. 십자가를 향한 신도의 눈빛이라고 할까, 그녀를 향한 신애의 맹목적 믿음 혹은 선망 앞에서 나는 얼떨떨했다. 신애에 반해 그녀에 대한 내 감정은 오락가락했다. 그녀가 지닌 묘한 분위기에 끌렸다가도 막상 냉랭한 말투와 표정을 접하면 돌연 감정이 얼어붙곤 했다.

3학년에 올라온 지 얼마 안 되었을 때 음악 선생이 무슨 이유인지 사흘이나 결근했다. 음악 시간에 수학 선생이 보강을 들어와서 그동안 배운 노래를 부르라고 했다. 피아노 반주자가 필요했다. 아무도 나서지 않고 서로 눈치만 봤다. 윤민서 네가 해! 초등학교 때 피아노 학원에 같이 다녔던 헌구가 나를 지목했고, 나는 떠밀리다시피 피아노 반주를 했다. 그 일을 계기로, 역시 떠밀리다시피 음악부장이 되었다. 음악부장이 하는 일이라고 해 봐야 유인물을 배부하거나 교사용 노트북을 옮기는 것이 다였다. 하지만 나는 그런 감투가 싫고 모두 기피하는 음악과 교무실에 자주 가야 한다는 게 부담스러웠다. 한편으로는 사람들과 잘 어울리지 않는 음악 선생에게 호기심이 일기도 했다. 음악부장이 된 뒤 수업 시작 전에 음악과 교무실에 꼬박꼬박 들렀지만 그녀와 용무 외의 말은 나눈 적은 없었다. 그녀가 내 이름을 아는지도 의문이었다.

한번은 아이들이 민서 피아노 잘 쳐요, 쳐 보라고 해요, 그녀를 졸라 댔다. 물론, 아이들이 내 연주를 듣고 싶었다기보다는 시간을 때울 목적이었다. 어쨌거나 그녀는 대꾸하지 않음으로써 말을 꺼낸 아이들은 물론, 나까지 머쓱하게 만들었다. 헌구를 필두로 아이들이 툴툴거렸다. 재수 없어. 저러니까 다 싫어하지. 누가 뱀파이어 아니랄까 봐. 일주일쯤 뒤에 그녀가 나에게 좋아하는 곡을 연주해 보라고 했다. 내키지는 않았지만 베토벤의 '비창 소나타'를 연주했고 나름 만족스러웠다. 그녀가 칭찬까지는 아니어도 소감 한

마디는 할 줄 알았는데, 아무 말이 없었다. 모욕당한 기분이라고나 할까, 한동안 잠잠했던 알레르기가 도지면서 온몸이 가려웠다.

열흘쯤 지나서 그녀가 수업이 끝난 뒤 음악실에 남으라고 했다. 피아노를 전공해도 되겠던데. 그녀는 이따금 중요한 말을 할 때 버릇대로 눈썹을 살짝 들어 올리며 말했다. 이미 기분이 상할 대로 상한 뒤여서인지 그 말이 가슴에 와닿지 않았다. 게다가 나는 피아노를 전공할 생각이 없었다. 아니, 우리 집 형편에 피아노 전공은 어림도 없었다. 아뇨. 피아노를 좋아하긴 하지만 하고 싶은 게 있어서요. 하고 싶은 거? 그녀는 나를 힐끗 쳐다봤다. 그게 뭐냐고 묻지는 않았다. 나도 굳이 말할 필요가 없지 싶어서 입을 다물었다. 왠지 다 진 싸움에서 아슬아슬하게 비긴 느낌이었다.

그 뒤 얼마쯤 지나 나는 실용음악과로 진로를 정했다. 그녀가 어떻게 알고는 그런 게 좋으냐고 물었다. 설마 그런 걸 음악이라고 생각하는 건 아니겠지? 하는 말투였다. 나는 할 말을 잃었다. 그녀는 평소에도 대놓고 실용음악을 비하했다. 소리면 다 음악인가? 변종일 뿐이지. 나는 다가오는 경연대회에서 보아란 듯이 좋은 결과를 얻고 싶었다. 물론, 그녀는 관심도 없겠지만 그렇게라도 해야 그녀로부터 받은 모멸감을 떨칠 수 있을 것 같았다.

나는 음악과 교무실 문을 가볍게 노크한 뒤 문을 열었다. 늘 그렇듯 오르간 연주곡이 흘러나왔다. 그녀는 조리를 든 채 화분들이

즐비한 창가에 서 있었다. 선생님, 하고 불렀는데 그녀는 뒤돌아
보지도 않았다.

"신애가 또 뭘 집어던진 거야?"

다육이 이파리가 또 떨어졌네, 라고 말하듯 무심한 말투였다.
나는 예, 라고 작은 소리로 대답했다.

"누가 다친 건 아니고?"

그녀는 교실에서 일어난 일을 알고 있는 듯 말했다. 나보다 한
발 앞서 그 일을 보고한 아이가 있었나? 하지만 시간상으로 봐도
그건 불가능하고, 그런 일로 그녀에게 달려올 아이는 없었다. 그
녀가 투명인간의 속성을 지닌 뱀파이어이기 때문에 모든 걸 내다
본다고밖에 볼 수 없었다. 나는 예에, 하고 얼버무렸다. 그녀도 더
이상 말이 없었다. 그녀의 태도 때문인지 조금 전 교실에서 있었던
일이 별게 아닌 것으로 생각되면서 다육이에로 시선이 갔다.

뱀파이어 쌤이 키우는 다육이들 말이야. 정말 앙증맞지? 쌤이
들려주는 음악을 듣고 자라서 그럴 거야. 그중에서 쌤이 최애하는
건 희성이래. 잎이 볼록한 별 모양인데 테두리만 붉게 변하는 게
특징이고. 근데 나는 사막의 장미가 더 좋아. 바오밥 나무처럼 생
겼거든. 쌤이 그러는데 꽃말은 무모한 사랑이래. 쌤은 정말 많은
걸 알고 있지 않니? 언젠가 신애가 활짝 웃으며 한 말이었다.

희성 옆으로 몇 개의 화분이 더 있었다. 그중 유난히 몸통이 통

통한 다육이가 눈에 들어왔다. 신애 말대로 몸통이 동화 속의 바오밥 나무를 닮았다. 적갈색의 가지가 옆으로 뻗고 잎이 지그재그로 돋았다. 꽃은 5열로 갈라진 트럼펫 모양으로 가장자리는 진분홍색이고 중앙으로 갈수록 옅어졌다. 내가 다육이에 마음이 끌린 것은 처음이었다. 사막의 장미. 꽃과 잘 어울리는 이름이었다. 국화나 수국, 맨드라미가 그렇듯. 음악 선생의 별명이 뱀파이어인 게 그렇듯.

그녀는 여전히 나를 쳐다보지도 않고, 이번에는 사막의 장미 잎을 닦는 데 열중했다. 그 일을 하는 것이 존재의 이유나 되는 것처럼. 나에게 더 이상 말을 붙이지 마라, 혹은 그만 가 보라는 몸짓으로도 보였다.

나는 주머니 속의 젤리를 꺼내 입에 넣었다. 그걸 잘근잘근 씹다 보면, 초조함이나 불안감이 사라지곤 했다. 그녀가 돌아서서 나를 빤히 쳐다봤다. 나는 얼른 교무실을 나가야 한다고 생각하면서도 발을 떼지 못했다.

이렇게 가까이에서 그녀의 모습을 본 것은 처음이었다. 광대가 튀어나오고 팔자 주름이 선명했다. 또 인중이 보통 사람의 두 배쯤 되고 치열이 고르며 이가 하얬다. 무엇보다 왼쪽 귀 옆에 화상 자국으로 보이는 커다란 흉터가 있었다. 그걸 가리느라 그런 건지 화장을 짙게 해서 얼굴이 분가루를 뒤집어쓴 것처럼 보였다. 그것이 그녀가 사시사철 고집하는 검은색 옷과 대비되어 더욱 도드라졌다. 그것도 뱀파이어의 이미지에 딱 들어맞았다. 불로불사하고 타인의 피를 마시며 뛰어난 힘을 가진, 영혼 없이 살아 움직이는 시체. 그녀를 볼 때면, 어둠 속에 홀로 서 있는 검은 그림자와 맞닥뜨린 기분이었다.

시험 기간에만 허용되는 야간자율학습이나 동아리 활동으로 밤 늦게까지 학교에 남아 있을 때 그녀와 마주치면 모두 슬금슬금 뒷걸음질 쳤다. 한 날은 그녀와 화장실 앞에서 마주친 아이가 쓰러졌다. 그 아이가 빈혈로 진단받자 모두가 한목소리로 뱀파이어에게 물린 거라고 했다. 그날 이후 뱀파이어의 존재는 더욱 확실해졌다.

전부터 학교에 사건 사고가 많았는데 그게 다 학교 터가 나빠서라고 했다. 무엇보다 건물이 북향이며 남쪽에 있는 산이 건물을 가려 햇빛을 구경하기가 어렵기 때문이라고. 그런데 뱀파이어의 위력은 그 썰을 단번에 엎어 버렸다. 부임하기 전부터 학교에 숨어들어 상주했던 거다, 햇빛이 없으니 뱀파이어가 살기에 딱 좋은 조건 아니냐, 그동안 장기 결석이나 자퇴라는 명목으로 자취를 감춘 애들이 다 뱀파이어에게 피를 빨렸던 거다.

그녀의 신상만 해도 아는 바가 거의 없었다. 결혼을 했는지 아이가 있는지, 어디에 사는지 아무도 몰랐다. 아이들이 결혼했냐고 물으면 그녀 특유의 냉랭하고 건조한 말투로 왜, 내가 아무한테도

프러포즈를 받지 못할 만큼 매력이 없어 보여? 하며 말을 돌렸다. 아이들은 이혼했을 가능성을 염두에 두고 있었지만 대놓고 묻지는 않았다. 자식은 있어요? 몇 명이에요? 그녀는 못 들은 척했다. 아이들이 다시 묻자 그녀는 가슴에 손을 댄 채 여기에 있지, 하고는 말끝을 흐렸다. 그런 식으로 그녀는 스스로를 신비화하는 재주가 있었다. 자식이 가슴에 있다는 건 뭐지? 알 게 뭐야. 연막 치는 거지. 눈까지 빨개지던데? 그거야 피가 모자라면 나타나는 증상이지. 아이들은 그녀의 나이를 오십대로 추정했다. 할머니뻘이잖아? 뱀파이언데 50년이 아니라 500년은 살았을걸? 하고 낄낄댔다.

그 외에도 그녀는 번번이 아이들의 입에 오르내렸다. 향수 냄새 지리지 않냐? 피 냄새를 감추려고 그러는 거겠지. 걸을 때 팔은 왜 휘젓는 거야? 영화에서 보면 뱀파이어 휘휙 날아다니잖아. 그게 몸에 밴 거지. 다른 선생님들은 다 급식 먹는데 왜 안 먹는 거지? 밤마다 피로 배를 채우는데 급식을 먹을 이유가 없지. 선생님들끼리 하는 회식에도 안 간대. 그런데 그녀가 혼자 영화관이나 쇼핑몰에서 나오는 걸 봤다는 아이들이 있었다. 또 얼굴의 화상 자국 말고도 몸 어딘가에 치명적인 결함이 있을 거라고 했다. 그걸 들키지 않으려고 사람들을 멀리하는 거라고. 그런 그녀를 사람들도 멀리할 수밖에 없을 거라고.

그런 말을 들을 때마다 나는 뜨끔했다. 아이들 사이에서 '핵아싸'

로 불리는 나에게는 어떤 치명적인 결함이 있을까. 어려서부터 누군가와 어울리는 것보다 혼자 있을 때가 편했다. 그러다 보니 음악에 빠진 것인지 음악에 빠져서 이런 것인지는 모르지만 내가 이렇게 된 데에는 이유가 있을 거였다. 친척들의 말처럼 형제 없이 자랐기 때문일 수도 있고 아빠가 일찍 돌아가셨기 때문일 수도 있다. 태어날 때부터 그런 유전 인자를 가지고 태어났을 수도 있겠지.

담임과 학생부장의 중재로 신애와 헌구가 화해했다. 문제는 신애가 쓴 진술서였다. '우리 모두가 뱀파이어다.' 뭔 소리? 우리 모두가 영혼 없이 살아 움직인다는 거야? 우리 모두 물고 물리는 존재라는 거? 서로가 서로를 착취한다는, 뭐 그런 걸 수도 있지. 한동안 그 말은 아이들 사이에서 논란의 대상이 되었지만 끝내 그 의미는 찾지 못했다. 뜻은 개뿔, 그냥 개소리지.

그 후로 신애가 뭘 던지고 괴성을 지르는 횟수는 줄어들었다. 짓궂은 아이들이 신애의 등에 씨발새끼, 병신이라고 적은 포스트잇을 붙이거나 실수인 척 팔을 쳐서 식판을 엎어도 무심한 척 지나갔다. 이참에 개과천선이라도 한 건가? 그럴 리가. 정신과 치료를 받고 있는데 이번에 바꾼 약이 잘 들어서 그런 거래. 교무실에 갔다가 선생들끼리 하는 말을 엿들은 아이의 말은 순식간에 퍼졌다.

그런데 방학을 한 달 앞둔 어느 날이었다. 신애가 옆 반의 덩치 큰 남자애의 팔을 물어뜯었다. 주먹이 세기로 유명해서 아무도 건

96

드리지 않는 애였다. 1학년 때 군기를 잡아 보겠다고 나섰던 선배들마저도 그 애 앞에서는 꼬리를 내렸었다. 그런 애가 신애에게 팔을 물리다니. 그야말로 대박 사건이었다. 볼이 발간 채 뱀파이어 울쌤! 하며 두 손을 모으던 신애가 이를 드러낸 채 덩치에게 달려드는 모습이 그려지지 않았다. 분노 조절 장애인 신애가 화를 꾹꾹 누르다가 정말 돌아 버린 거라는 말이 돌았다. 그 남자애는 이런저런 사건에 연루되어 여러 차례 징계를 받은 전과가 있는 데다 먼저 신애를 벽에 밀어붙여 머리를 박았고, 신애는 정당방위라는 점이 참작되어 처벌 수위는 오히려 그 남자애 쪽이 높았다. 남자애 부모가 교육청에 재심을 요청했지만 기각되었다.

그 일이 있은 뒤 학교는 태풍이 휩쓸고 지나간 후의 바닷가 같았다. 자잘한 도난 사건이나 폭력 사건도 일시에 잠재워졌다. 아이들은 얌전한 고양이가 된 것 같았다. 모두를 얌전한 고양이로 만든 신애는 표독한 쥐가 된 듯했다. 정말이지 신애는 눈을 쥐처럼 뜨고 눈동자를 빠르게 움직였다.

신애와 나는 2학년 때부터 같은 반이었고, 한 달 동안은 짝이었다. 신애는 2학년 초반까지 명랑한 성격에 성적도 상위권이고, 무엇보다 관찰력이 좋았다. 사물을 보는 데 그치지 않고 만져 본 뒤 각기 다른 느낌을 말했다. 또 새 울음을 듣고 날씨를 예측한다든지 꽃의 향기로 꽃의 생김새를 알아맞히기도 했다. 게다가 궂은일을 마다하지 않는 모범생의 전형이라고 할 만했다. 그랬던 신애가 2학년 여름방학이 지난 뒤부터 이상해졌다. 우선 말수가 줄고 쉴 새 없이 손톱을 물어뜯었다. 성적도 곤두박질쳤다. 3학년에 올라와 초반에는 언제 그랬냐는 듯이 말도 잘하고 이상한 행동도 하지 않았다. 신애가 예전으로 돌아왔구나 싶어 내심 기뻤다.

신애가 나에게 카톡을 보내서 둘이 카페에 간 적도 있었다. 신애가 여전히 뱀파이어에게 호감을 갖고 있다는 것도 그때 알았다. 신애는 뱀파이어처럼 검은색 옷을 입고 뱀파이어가 쓰는 향수를 뿌리고 나왔다. 이 향수 말이야, 불어로 뜻이 어두운 밤의 독이래. 느낌 있지? 쌤은 향수 하나도 아무거나 쓰지 않는다니까. 그뿐이 아니었다. 팔을 휘저으며 걷고 말투도 뱀파이어의 흉내를 냈다. 사실은 나도 뱀파이어과야. 그 말을 하면서 뱀파이어처럼 눈썹을 살짝 들어 올렸다. 웃음이 나왔다. 민서 너도. 내가? 말도 안 돼. 그렇게 말했지만 그 말이 묘한 연대감을 안겨 주었다.

그것도 잠깐, 신애가 카톡을 뚝 끊었다. 나는 얼떨떨했지만 굳이 이유를 묻고 싶지는 않았다. 그럴 수도 없었다. 신애가 눈에 보이게 달라졌기 때문이었다. 갑자기 아악 괴성을 지르고 소지품을 집어던졌다. 그러는 신애에 대해 이러쿵저러쿵 말이 많았다. 집안이 망했을 거다, 부모님이 이혼했을 거다, 심지어는 성폭행을 당했을 거라는 말이 돌 정도였다. 신애가 남자애들과 남자 선생님들에게 유난히 공격적이었기 때문이다. 하지만 그야말로 소문일 뿐 확인된 것은 없었다.

나는 일주일 뒤로 다가온 음악경연대회에 대한 스트레스 때문인 지 한동안 잠잠했던 알레르기가 도졌다. 병원에서 처방해 준 약도 소용이 없었다. 온몸을 긁어 대느라 밤새 뒤척였다. 결국 아침에 알람 소리를 놓쳤다. 식당에서 쓸 식재료를 사러 어시장에 간 엄마 가 전화를 열 번이나 했는데도 듣지 못했다. 또 지각이었다. 이제 깜지라면 지긋지긋했다. 담임에게 차라리 매를 맞겠다고 해 볼까.

교실로 막 들어섰는데 분위기가 술렁거렸다. 또 무슨 일인가 했 는데 헌구가 특종을 외쳤다. 아이들의 시선이 일제히 헌구에게로 쏠렸다.

"니들 당분간 신애 볼 일 없을 거다."

그러고 보니 신애의 자리가 비어 있었다. 뱀파이어가 신애를 음 악실에 있는 박스에 가뒀다고 했다. 어제 6교시였다. 그 시간이라 면 나는 조퇴하고 피부과에 가 있었던 때였다. 쉬는 시간에 신애가 박스 안에서 쓰러져 있는 걸 누군가가 사진을 찍어 SNS에 올렸고, 일파만파 퍼져 나갔다. 헌구는 모처럼 구경거리가 생겨서 신난다 는 표정이었다. 가둔 것도 가둔 것이지만 요즘 뱀파이어 얼굴에 핏 기가 없었잖아. 뱀파이어가 피를 빨아먹은 게 분명해. 아이들이 맞장구치며 낄낄거렸다.

선생들은 수업에 늦게 들어오거나 들어와서도 수업에 집중하지 못했다. 잠깐 자습하고 있어, 하고 나가서는 복도나 계단에서 삼삼오오 모여 쑥덕거렸다. 또 아이들의 입단속 시키기에 급급했다. 하지만 금기에 대한 유혹은 강했다. 쉬쉬하는 가운데 아이들은 귀를 더 쫑긋 세웠다.

신애는 신경정신과 병원에 입원해서 치료를 받는다고 등교하지 않았다. 대신 신애의 부모님이 학교에 왔다. 교장이 음악 선생에게 신애의 부모님에게 사과하라고 했지만 그녀는 듣지 않았다. 난 사과해야 할 만한 일을 하지 않았다, 수업 중에 신애가 얼마 전에 구입한 음향기기 박스 근처를 맴돌았다, 농담으로 들어가고 싶으면 들어가라고 했는데 신애가 들어갈 거라고는 생각지 못했다, 물론 들어간 것도 보지 못했다, 곧 수업이 끝났고 신애가 당연히 교실로 돌아간 줄 알고 문을 잠갔을 뿐이다, 세심히 살피지 않고 문을 잠근 부분에 대해서는 실수를 인정한다. 음악 선생의 말은 통하지 않았다. 음악 선생이 신애를 만나게 해 달라고 했지만 신애의 부모님은 허락하지 않았다. 결국 음악 선생이 사과하지 않음으로써 그 일은 더 이상 수면 아래로 잠재울 수가 없게 되었다. 신애의 부모님이 아동학대 건으로 이미 교육청 신문고에 글을 올렸다. 교장은 음악 선생에게 일이 수습될 때까지 병가를 내라고 했지만 그녀는 끝내 굴하지 않았다. 어머니가 무슨 위원직을 맡은 아이의 입에서 나온 말이었다.

다음 날부터 학부모들과 경찰들이 학교를 들락거렸다. 교장은 신애와 뱀파이어의 분리 조치로 우리 반 음악을 다른 반 선생으로 교체했다. 아이들은 전보다 더 그녀를 멀리했다. 선생들도 마찬가지였다. 그녀를 두고 모두가 뭉치는 형국이었다.

시간이 느릿느릿 흘렀다.

키보드 박자를 놓치는 바람에 경연대회 결과는 좋지 않았다. 알레르기가 심해졌다. 엎친 데 덮친 격으로 이즈음이면 개도 안 걸린다는 감기까지 걸렸다. 결석한 건 이틀인데 그새 학교와 한참 멀어진 기분이었다. 내가 교실에서 사라진다고 해도 누구도 눈 하나 깜짝하지 않을 것 같았다. 그런 생각이 들자 학교에 가고 싶지 않았다. 퇴원하고도 하루를 더 결석했다.

교실로 들어서는데 몇몇 아이들이 웅성거리는 모습이 눈에 띄었다. 무슨 일이 있는지 궁금했지만 무심한 척 내 자리로 갔다. 헌구가 나에게 다가와 귓속말을 했다. 뱀파이어 잘렸대.

설마, 하면서도 가슴이 무지근했다. 내가 잘못 들었기를 바라면서 헌구를 바라봤다. 학생을 박스에 가뒀으니 자업자득이지. 헌구는 그렇게 혼잣말처럼 덧붙이고는 나를 빤히 쳐다봤다. 넌 뱀파이어 싫어했잖아, 고소하지? 하고 말하는 눈빛이었다. 헌구의 생각과 달리 나는 그녀를 더 이상 볼 수 없다고 생각하자 맥이 빠졌다.

헌구 말이 사실일까. 옆 반 영은이라면 사실을 알고 있을지도 모른다. 영은은 초등학교 동창으로 내가 유일하게 속을 털어놓고 지내는 사이인데 학생회 임원이고 꽤 믿을 만한 소식통이었다. 교실을 나섰는데 마침 복도 끝에서 영은이 걸어오고 있었다.

"뱀파이어 어떻게 된 거야? 정말 잘린 거야?"

"글쎄, 그건 모르겠고 학교 안 나오는 건 맞는 거 같아."

"아주 그만둔 거야?"

"그렇다나 봐. 그 성질에 강전을 당하느니 그만두는 게 낫지 싶었겠지."

"강전?"

"우리도 사고 치면 강전당하잖아. 선생님들도 사고 치면 그런 게 있다고 들었어. 강제발령."

"그게 싫어서 그만둔 거야? 잘린 거라던데?"

"그게 그거지 뭐. 암튼 학교에서 볼 일은 없을 거 같아."

"신애를 가둔 것도 아니었다며?"

"박스 안에 쓰러져 있는 사진이 있잖아. 그 정도면 빼박이지. 극성 엄마들을 누가 말리냐? 게다가 뱀파이어, 평소 인간관계 안 좋았잖아. 아무도 편을 안 들어 줬겠지. 꼰대들이 얼마나 몸을 사리는데. 그나마 수학이 교권보호위원회를 열자고 했다가 본전도 못 찾았다는 거 같아……."

영은의 말이 채 끝나기도 전에 조회 시간을 알리는 종소리가 났고, 우리는 각자 교실을 향해 갔다.

교실은 여전히 뱀파이어와 신애에 대한 이야기뿐이었다. 뱀파이어가 신애를 정말 박스에 가뒀느냐가 관건이었다. 신애가 박스 앞에서 얼쩡대는 걸 봤다, 제 발로 박스에 들어간 게 맞다, 박스에 들어가서 쓰러진 게 아니라 잠들었던 거다, 그렇다면 뱀파이어로서는 억울하겠다. 우리 모두가 뱀파이어다, 라고 쓴 신애의 진술서도 다시 화두에 올랐다. 결론은 신애가 오래전에 뱀파이어에게 물렸고, 뱀파이어가 된 게 분명하다는 거였다. 그동안 신애가 보여준 행동만 봐도 알 수 있지 않냐, 교복 속에 검정색 티를 입고 말할 때 눈썹을 들어 올리질 않나, 걸음걸이도 비슷하다, 분위기도 뱀파이어를 닮아 어두워졌다, 어쨌거나 이제 신애도 조심해야 한다, 원조보다 더 무서울 수 있다.

이윽고 교실 문이 열리고 담임이 들어왔다. 아이들은 담임이 뭔가 이야기를 해 줄 거라고 기대하는 분위기였다. 하지만 담임은 지각하지 마라, 화장하지 마라, 수업 시간에 졸지 마라, 떠들지 마라, 구시렁거리다가 조회를 마쳤다. 그런 이야기들이 뱀파이어 이야기보다 오히려 현실성이 떨어지는, 외계의 이야기처럼 들렸다.

오전 수업은 지루하게 흘러갔다. 점심시간을 알리는 종소리가 나자 아이들은 용수철이 튕겨 오르듯 자리에서 일어났다. 새치기

하지 마라, 줄을 똑바로 서라, 정해진 자리에 앉아라, 급식지도 선생이 외쳐도 아랑곳하지 않고 끼리끼리 모여 앉아 수군거렸다.

니들 뱀파이어가 학교에 안 나타난다고 완전히 사라졌다고 생각하면 오산이야. 언제 어디에서 출몰할지 모르니까 밤길 조심해라. 맞아, 왕따시킨 선생님들도 겁먹고 있겠지? 편들어 준 수학만 빼고. 근데 수학하고 뱀파이어 썸 탄 거 아닐까? 설마. 영화 보면 뱀파이어도 사랑을 하잖아, 비극적인. 뱀파이어도 뱀파이어 나름이지. 어쨌거나 뱀파이어가 사라진 것에 대해서만은 아쉬워하는 분위기였다. 물론, 뱀파이어 자체에 대해서라기보다 가십거리가 없어졌다는 데 대한 아쉬움이었다. 그것도 잠깐, 점심을 먹고 난 뒤 아이들은 여느 날처럼 운동이나 동전치기, 혹은 공기를 했다. 그러지 않으면 엎드려 있었다.

그렇게 별반 다를 것 없는 나날이 이어졌다.

뜻밖에도 신애로부터 카톡이 들어왔다. 민서야, 나 지금 '비창 소나타' 듣는 중…… 내면 깊은 곳까지 울림이 느껴진다고나 할까, 막 빠져들게 돼. 병원에 입원 중이라는 애가 뜬금없는 카톡에 비창 소나타라니, 살짝 당혹스러웠다. 나는 대꾸하지 않았다. 언젠가도 그랬듯이 저가 먼저 카톡을 보내고는 뚝 끊을 수도 있었다. 그런 일은 한 번으로 족했다. 근데 뱀파이어 쌤 말이야……. 신애는 무슨 말인지 더 할 것처럼 하다가 내가 대꾸하지 않아서인지 결국 하지 않았다. 무슨 말을 하려고 했던 걸까. 학교 분위기가 어떤지 물어볼 애는 아닌데. 혹시 뱀파이어의 안부를 묻고 싶었나? 그건 부모님을 통해 벌써 알고 있을 텐데.

뱀파이어는 사라졌지만 일주일이 지나서 신애는 돌아왔다. 하지만 더 이상 괴성을 지르지도 않고 뭘 집어던지지도 않았다. 신애가 이상한 행동을 할 거라고, 혹은 해 주기를 내심 기대했던 아이들은 실망한 눈치였다. 일부에서는 한동안 시들했던 원조 뱀파이어에 대해 다시 관심을 보였다. 그새 힘이 더 세어졌을 거야. 암 조직이 만들어졌는지도 모르지. 그런 식으로 뱀파이어에 대한 관심은 조금 더 이어졌지만 오래가지는 않았다. 수행평가 기간에 이어 지필고사가 다가왔다. 새로 부임한 음악 선생이 젊고 미인이라는 것도 촉매제가 되었다. 나는 카톡에 대꾸하지 않은 게 켕겨서 신애의 시선을 피했다. 신애는 그런 건 개의치 않는 듯 다시 카톡을 보내왔다. 뱀파이어 쌤 말이야, 딸이 있었는데 피아니스트가 꿈이었대. 비창 소나타를 엄청 잘 쳤다나 봐. 너처럼.

신애가 엊그제 하고 싶었던 말이 이거였나? 그런데 신애는 그걸 어떻게 알았을까. 뱀파이어와 연락하고 지내는 건가? 아니면, 그 전부터 알고 있었나? 또 뱀파이어에게 딸이 있다고 하는 게 아니라 딸이 있었다고 하는 건 뭘 의미하는 거지? 의문이 꼬리를 물었다. 별것도 아닌데 내가 너무 예민한 건가?

내가 다시 뱀파이어를 보게 된 것은 그녀가 학교에서 사라진 지 다섯 달쯤 지나서였다. 그사이 우리 집은 전세 계약이 끝나 버스로 20분 정도 걸리는 동네로 이사를 왔다. 토요일, 밤늦은 시간이었는데 엄마가 슈퍼마켓에 간다고 하기에 길도 익힐 겸 내가 가겠다고 했다. 마침 악보도 눈에 안 들어오고 가슴도 답답하던 차였다. 심부름 값으로 주전부리를 고르다가 고양이 간식거리 앞에 서 있는 그녀를 봤다. 막상 무슨 말을 해야 할지 모르겠고, 말을 건넨다고 해도 그녀가 어떻게 나올지 몰랐다. 우물쭈물하는 사이에 그녀가 계산을 하고 나갔다. 그녀는 왜 이 슈퍼마켓에 왔을까. 혹시 이 동네에서 사는 건가? 왠지 그녀가 허름한 빌라촌에 살 것 같지는 않았다. 지나가는 길에 들렀을 수도 있겠지.

그런데 일주일쯤 지나 이번에는 약국에 있는 그녀를 봤다. 나는 그녀의 뒤를 밟았다.

그녀의 집은 내가 사는 빌라에서 10분 정도 거리에 있는 전원주택 단지에 있었다. 그쪽의 집들은 대체로 고급스러운 벽돌담이 둘러져 있고 정원이 있었다. 그녀의 집은 단지 내에서도 정원이 유난히 넓고 담이 낮았는데, 외벽이 짙은 회색이라서인지 으스스한 분위기마저 풍겼다. 그런 분위기에는 담 안쪽 화단이 길고양이들의 집합소라는 것도 일조했다. 엄마가 미용실에서 만난 동네 아줌마들의 수다 속에서도 그 집은 관심의 대상이었다. 물론, 그녀 자체

에 대한 호기심도 만만치 않았다. 그녀는 늘 선글라스를 쓰고 다닌
다고 썬구리로 불렸다.

썬구리네 집 말이야, 무슨 괴기 영화에 나오는 집 같지 않아? 정
원만 잘 가꿔 놨드만. 그러니까 괴기스럽다는 거지. 지하실에 시
체 같은 게 숨겨져 있는 거 아닐까? 뭐? 우리 아들이 얼마 전에 외
국 영화제에서 상 받은 영활 봤대. 번듯한 집 지하실에 글쎄…….
하긴 길고양이들 꼬이는 것만 봐도 이상하긴 해. 이 동네에 떠돌
아다니는 고양이는 다 그 집으로 들어가잖아. 그거야 밥을 주니까
가는 거지. 사료 값도 장난 아니겠어. 암튼 혼자 그렇게 큰 집에서
살면 무섭지 않나? 무섭긴, 넓은데 좋기만 하겠지. 그런 데서 살면
소원이 없겠구먼.

"다 시기심에서 그러는 거지. 내가 보기엔 배운 사람 같고 마음
도 좋아 보이던데."

나는 그녀가 저번에 그만둔 음악 선생이라고 말했다. 엄마는 그
러냐고 하고는 말을 잠시 멈췄다가 다시 이었다. 살다 보면 누구나
운이 안 받쳐 줄 때가 있지. 하지만 운은 돌고 도는 거라고 했다.
이어 아빠가 돌아가셨을 때 막막했던 심정을 털어놓았다. 이제 나
도 웬만큼 컸고, 식당도 자리를 잡아 가는 중이어서 한시름 놓았다
고. 뜬금없이 나에게 미안하다고 했다.

일요일 아침에 눈을 떴는데 빗소리가 들렸다. 아니, 빗소리 때

문에 잠이 깼는지도 모른다. 빗소리를 들으며 마냥 누워 있고 싶었다. 아니, 그러지 않으면 안 될 것 같았다. 며칠 키보드 연습에 진을 뺀 탓이었다. 나에게 충전의 시간이 필요하다는 걸 엄마도 이해한 듯했다. 학원을 쉬겠다고 하자 허락해 주었다. 저녁 무렵까지 빈둥대고 있는데 신애의 카톡이 들어왔다. 자식이 죽으면 가슴에 묻는다는 말이 있잖아. 뱀파이어 쌤 말이야…….

20년 전 집에 불이 나서 딸이 죽었다. 딸을 구하려고 불길 속으로 뛰어들었다가 그녀는 얼굴에 화상을 입었다. 딸이 죽고 남편도 집을 나갔다. 그 집을 오래 세놓았다가 얼마 전에 리모델링해서 다시 들어갔다.

상상도 못한 일이었다. 그런데 신애는 그걸 어떻게 알았을까. 그녀가 신애에게 이야기해 주었을 거라는 생각은 들지 않았다. 아니, 그녀가 말해 주지 않았다면 신애가 알 수 없었겠지.

산책 삼아 집을 나섰는데 발이 절로 뱀파이어의 집 쪽으로 향했다.

30미터 전방에서 그녀가 우비를 입고 선글라스를 쓴 채 집을 나서는 게 보였다. 나는 멀찌감치 떨어져서 그녀의 뒤를 따라갔다. 그녀는 집 뒤쪽의 야산으로 올라갔다. 여전히 팔을 약간씩 휘저으며, 그러나 일정한 보폭으로 허리를 꼿꼿이 펴고 걸었다. 단단한 일상을 소유한 사람의 걸음걸이라고 할까, 그래서인지 더 따라갈 마음이 사라졌다.

그런데 10월 들어 일주일간 단기방학이 되자 그녀에 대한 호기심이 다시 고개를 들었다. 해 질 녘이면 으레 그 집 쪽으로 발길이 향하곤 했다. 언제나 그렇듯 인적이 뜸했다. 이따금 정신이 반쯤 나간 채 동네를 배회하는 여자만이 그 집 주변을 어슬렁거렸다. 하지만 그 여자마저도 고양이를 보면 줄행랑을 쳤다. 눈이 빨갛고 귀가 잘려 나간, 혹은 털이 뭉텅 빠졌거나 다리를 절룩거리는 고양이들. 미친 여자의 눈에라도 그런 고양이들이 곱게 보일 리는 없을 터였다. 누구의 관심도 받지 못한 채 방치되어 살아가는 동물 특유의 날카로운 눈빛과 마주치면 나도 가슴이 서늘해지곤 했다.

그런데 그녀는 그 길고양이들과 소통하고 심지어 대화를 하는 듯했다. 고양이들에게 밥을 준 뒤에도 한참 동안 자리를 뜨지 않았다. 그럴 때면 고양이들의 눈이 더할 수 없이 순해졌다. 그 장면은 한 장의 사진처럼 내 가슴에 찍혔다. 오래전 그녀가 다육이에 물을 주던 모습과도 통했다. 오로지 그 일을 하기 위해 존재하는 사람의 몸짓. 나는 우연을 가장해서 그녀에게 알은체를 해 볼까 하다가도 결국 용기를 내지 못했다. 어쩌면 그녀도 내가 자기를 미행하고 있다는 걸 알아챘는지 모른다. 그렇지 않다면 한 번도 뒤돌아보지 않을 리가 없다.

머릿속에 떠오르는 악보를 놓치지 않으려고 애쓰며 걸음에 속도를 냈다. 하필 빠른 속도로 달리던 자전거가 나를 치고 지나가는 바람에 넘어지고 말았다. 에코백 안의 물건들이 쏟아졌고 악보 하나가 3미터가량 날아갔다. 그걸 나보다 먼저 집어 드는 손이 있었다. 고맙다고 인사하려고 고개를 들었는데, 그녀였다. 그녀는 예의 그 무심한 표정으로 나를 쳐다봤다. 나는 고개를 끄덕하는 것으로 인사를 대신했다. 얼마쯤 그녀와 말없이 걸었다. 신애에 대해 말해 줘야지 하면서도 선뜻 말을 꺼내지 못했다.

"음악은 잘돼 가니?"

그건 잘돼 가니? 하지 않고 음악은 잘돼 가니? 하다니. 실용음악도 음악이라고 생각한다는 건가? 나는 약간 당혹스러웠다.

음악이 잘되어 가는지는 나도 알 수 없었다. 연습한 양에 비해 실력은 나아지지 않았다. 키보드는 피아노와 달리 몰입이 안 되었다. 전공으로 선택하지 않았다면 즐길 수 있을 텐데. 뭐라고 대답해야 할지 몰라 선생님은 잘 지내셨어요? 하고 물었다. 뭐, 보다시피. 그렇게 말하는 그녀의 표정에서 전에 없던 여유가 물씬 풍겼다. 만약 그녀와 신애 사이에 그런 일이 없었더라면, 교장이 시키는 대로 신애 부모님께 사과를 하거나 병가를 냈더라면 아직 음악 선생으로 남아 있을까. 음악 선생이든 아니든 그녀는 그녀일 테지만.

방학이 끝난 뒤 신애는 학교에 나오지 않았다. 이미 예견된 일처럼 무덤덤했다. 이번에야말로 그녀에게 신애의 소식을 전해야 할 것만 같았다. 하지만 그녀를 더 이상 미행할 수 없을 만큼 바빠졌다. 예고 입시 준비로 음악학원과 연습실을 오가면서 매일 자정이 되어서야 집에 들어왔다. 그녀의 집 쪽을 한 번씩 쳐다보기는 했지만 그뿐이었다.

그런데 예고에 합격했다는 알림 문자를 받고 그녀가 떠올랐다. 마침 토요일이었고, 발길이 절로 그녀의 집 쪽으로 향했다. 그렇다고 그녀에게 합격 소식을 전할 생각은 아니었다. 평소처럼 먼발치에서 서성이다 돌아오겠지 했는데, 그녀의 집 대문이 열려 있었다. 뭔가가 나를 이끌었고, 조금 망설이다가 결국 대문 안으로 발을 들였다.

뜰의 잔디와 나무들이 하나같이 가지런하고 반듯했다. 동네 아줌마들이 너무 잘 가꿔져서 괴기 영화에 나오는 집 같다고 수군댔다는 말이 떠올랐다. 정원사의 손을 빌렸을까. 왠지 그녀가 손수 했을 거라는 생각이 들었다. 언제 모여들었는지 화단에 길고양이들이 옹송그리고 있었다. 앞으로 얼마나 더 많은 고양이들이 이 집으로 몰려들까. 그녀가 이 집을 떠나기라도 하면 고양이들은 다 어디로 갈까. 왠지 그녀는 이 집을 떠나면 안 될 것 같았다. 가족과 함께 살았던 집에 세월이 지나 혼자 돌아와 사는 기분은 어떨까. 그렇게 엄청난 일을 겪은 뒤에도 일상을 단단하게 소유할 수 있는 힘은 어디서 오는 걸까. 무엇이 그녀로 하여금 그럴 수 있게 했을까. 그게 뭐든 고양이들의 눈을 순하게 만들 수 있는 사람이어서 가능한 게 아니었을까.

집 안에 감도는 정적 때문에 아주 멀고 낯선 곳에 와 있는 느낌이었다. 그래서 그녀를 쉽게 부를 수 있었다. 선생님, 선생님! 나는 한 번에 두 번씩, 두 번에 걸쳐 불렀다. 아무 대답이 없었다.

현관문이 열려 있었다. 이번에는 망설이지 않고 현관 안으로 들어섰다.

베란다에 다육이들이 즐비했다. 교무실 창가를 고스란히 떼어다 옮겨 놓은 것처럼. 오르간 연주곡도 여전했다. 몸통을 한껏 부풀린 사막의 장미는 그사이 훌쩍 자라서 키가 껑충했다. 신애의 말대로 그녀가 들려주는 음악을 듣고 자라서인지도 모른다. 어쨌거나 반갑고, 무슨 말이라도 건네고 싶었다. 아니, 이미 그 꽃과 몸통이 나에게 말을 걸어오는 것만 같고, 나와 사막의 장미 사이에 굉장한 일이 일어나고 있는 느낌이었다. 순간, 등 뒤에서 무슨 소리가 들렸다. 그녀일까? 자칫 남의 집에 몰래 침입한 괴한으로 몰릴 수도 있다. 손에 땀이 뱄다. 이럴 때 그녀가 나를 불러 주면 좋을 텐데. 아무런 기척이 없었다. 뒤돌아보니 대문 안으로 들어서는 그녀의 모습이 보였다. 그녀는 신애와 함께였다.

왜인지 모르지만 당연한 일처럼, 전에도 봤던 광경처럼 여겨졌다. 신애가 또 뭘 집어던졌니? 그녀가 물었을 때가 떠올랐다. 뱀파이어 울쌤! 하면서 신애가 두 손을 모았던 모습도. 그때부터 그녀와 신애 사이에는 둘만의 각별한 뭔가가 있었던 걸까. 박스 안에서 깨어났을 때 이미 신애는 그녀에게 닥칠 일을 예감했는지도 모른다. 그녀 또한 학교를 떠날 때 이미 신애와의 오늘을 그려 두고 있었던 건 아닐까 하는 생각마저 들었다.

그녀와 신애는 나를 보지 못한 듯 고양이들 쪽으로 걸어가고 있었다. 둘은 세상 누구보다 다정해 보였다. 곧이어 그녀들의 웃음소리가 들려왔다.

모나크 나비

수능이 끝난 도서관은 여백이 많은 그림 같다. 그 여백이 지어내는 고요 속에서 사람들은 느릿느릿 움직였다. 구내식당 문을 닫기 전에 라면이라도 먹어 둬야지 싶어 열람실 밖으로 나왔다. 헬스장에서나 어울릴 법한 헤어밴드를 한 20대 여자가 두툼한 책을 안은 채 내가 막 나온 문을 밀고 들어갔다. 나는 엘리베이터를 향해 가다가 조금이라도 더 몸을 움직이려고 계단으로 향했다.

지하 식당으로 연결되는 계단 끝에서 40대 중반으로 보이는 아저씨가 쪼그리고 앉아 컵라면을 먹고 있었다. 식당에서는 도시락 외의 식품은 반입을 금하고, 구내식당에서 라면을 팔기 때문에 컵라면은 금지 식품이었다. 게다가 계단에서 음식을 먹다니. 꼭 그 아저씨 때문이라고는 할 수 없지만 구내식당에 갈 마음이 사라졌다. 시험 전날은 라면보다 김밥이 낫겠다는 생각이 들었다. 무엇보다 건물 밖으로 나가 코에 바람이라도 넣고 싶었다.

논술고사는 내일 아침 열 시부터이고 입실은 아홉 시까지다. 그동안 기출문제와 예상문제를 여러 번 풀어 보긴 했다. 하지만 시험을 잘 치를 수 있을지는 의문이었다. 3학년에 올라온 뒤 시험 울렁증이 생겨 시험지만 받아 들면 머릿속이 하얘지곤 했다. 전날 잠을 못 자는 경우에는 백전백패였다. 빨리 집으로 돌아가 일찍 잠자리에 드는 게 좋겠지만 오늘 아침 엄마 아빠의 분위기로 봐서는 어림없는 일이었다. 10여 년을 장소만 바꿔 가며 치킨 가게를 해 왔는데 이번에는 1년이 채 안 되어서 폐업 위기를 맞았다. 죽어라고 일했는데 월세 감당도 못하고 빚만 늘었다. 최근 일주일 사이에 엄마 아빠의 냉전도 극에 달했다. 결국 늦도록 도서관에 남기로 했다.

시립도서관은 중학교 때 지아와 몇 번 와 본 이후로 이번이 처음이었다. 고등학교에 입학한 뒤로는 늘 심화반을 위한 면학실을 이용했고 지필고사 기간에는 집 주변의 사립독서실을 이용했다. 그러다 보니 한동안 시립도서관의 존재를 까맣게 잊고 있었다. 한날은 종례가 끝나고 교실을 나서는데 독서광인 아이가 요즘 시립도서관이 텅텅 비었다는 말을 했다. 그 말이 귀에 꽂혔다. 시립도서관을 이용하는 것이 형편에도 맞고 오랜만에 도서관 분위기를 접해 보고도 싶었다. 무엇보다 도서관에는 지아와의 추억이 서려 있었다. 서둘러 교문을 빠져나와 도서관으로 향한 것이 일주일째였다.

김밥은 밥알이 씹히지 않고 입안에서 겉돌았다. 캔 커피로 불려 가며 반 줄을 꾸역꾸역 먹었다. 뒷맛이 개운치 않았다. 열람실로 돌아왔는데 속이 더부룩했다. 예상문제를 풀기 위해 문제집을 폈다. 늘 그렇듯 이번에도 사회적 이슈와 교과를 연계한 문제가 우세할 거라는 전망이었다. 4차 산업혁명과 인공지능, 드론을 비롯해 핵무기, 일자리 창출, 선과 악의 판별…… 얼마 전까지만 해도 나름 자신이 있었는데 막상 시험이 임박해 오자 불안했다. 오늘은 문제는커녕 글자마저 눈에 들어오지 않았다. 오늘만은 도서관에 오지 말았어야 했는지 모른다. 교실을 나설 때 엄선우가 한 말이 귓가에 맴돌았다. 아니, 지아가 머릿속에서 떠나지 않았다.

중학교 2학년 때 집에서 걸어서 10분 남짓 걸리는 거리에 있는 학교에 다녔다. 엄마와 아빠는 치킨 가게를 하느라 늘 바빴다. 학교가 파하면 나는 집에서 낮잠을 자거나 만화책을 보면서 뒹굴었다. 그런데 같은 반 지아와 집이 같은 방향이어서 오가며 자주 마주쳤다. 지아와 나는 자연스럽게 어울려 PC방이나 분식집에 가곤 했다. 지아는 떡볶이를 좋아했고 나는 특별히 좋아하는 음식이 없었기 때문에 지아를 따라서 떡볶이를 먹었다. 어느덧 내가 떡볶이 맛에 길들었을 즈음, 아이들 사이에서 지아와 내가 사귄다는 말이 돌았다. 한지아가 아깝지 않냐? 하필 이민찬이냐, 아깝긴, 딱이지. 한지아네 엄마 술집 하잖아. 이민찬네는 치킨집 하고. 끼리끼리 논다는 게 저런 거야. 엄선우 정도는 돼야 사귈 맛도 나는데 말이야. 맞아, 맞아. 근데 엄선우, 한지아한테 관심 있는 거 같아. 설마. 엄선우가 한지아 쳐다보는 눈빛이 좀 수상하다니까. 엄선우가 뭐가 아쉬워서 한지아 같은 애를. 아니라니까, 내 촉은 못 속인데도. 여자애들이 수군거렸다.

엄선우는 어디서나 눈에 띄었다. 흰 피부에 눈썹이 짙고 콧날이 반듯하며, 운동으로 다져진 몸은 어지간한 운동선수 뺨치는 수준이었다. 옷이나 소지품으로 보아 집안도 부유해 보였다. 성격도 쿨했다. 그에 비하면 나는 존재감도 없고 덜떨어진 축에 속했다. 녀석과 있으면 나도 모르게 위축되었다. 그런데 지아가 바닥으로 떨어진 자존감을 회복시켜 주었다. 넌 좀 특별한 데가 있어. 어? 뭐든 잘하면서 티를 안 내잖아. 뭐 쯤 한다 하면 나대고 가오 잡는 애들이 대부분인데. 지아와 나는 아이들 앞에서는 데면데면 굴었지만 사귄다는 소문을 진정시키는 데는 효과가 없었다. 결국 아이들의 눈에 띄지 않을 만한 곳을 찾았다. 시립도서관 어때? 지아가 말했을 때 농담이겠지 했다. 어? 왜 하필 시립도서관이야? 애들이 안 가는 데니까. 뭐 책 구경도 하고. 도서관은 아이들이 가지 않는 곳이고, 책은 구경하라고 있는 거다 싶으니 웃음이 나왔다. 그래, 가자. 책 구경이나 하게.

책 구경은 의외로 흥미로웠고, 도서관의 분위기는 편안했다. 무엇보다 아는 사람이 없는 곳이라는 데 은밀한 즐거움이 있었다. 열람실 입구에 적힌 '천국이 있다면 도서관과 같은 모양일 것이다'라는 어느 작가의 말이 뇌리에 콕 박혔다. 그 작가 말이야, 마흔 살에 맹인이 됐대. 사서 하면서 소설을 썼다나 봐. 지아가 말했을 때 나는 막연하게 사서가 되면 좋겠다고 생각했다.

우리는 한동안 도서관 가는 재미에 빠졌다. 구경만 하던 책을 읽기 시작한 것도 그 즈음이었다. 너 책 읽을 때 보면 딴 사람 같더라. 무슨 말이야? 집중력 짱이라고. 읽는 속도도 빠르고. 벌써 읽은 책이 몇 권인 줄 알아? 몇 권을 읽었는지는 몰라도 책 읽는 재미에 빠진 건 분명했다. 책 많이 읽는 사람은 나중에 작가 된다던데, 혹시 너도? 나 같은 애가 작가는 무슨, 하면서도 살짝 들떴다.

그 뒤로 얼마 안 가서 지아의 아빠가 암으로 돌아가셨다. 지아가 주말이면 꼭 갈 곳이 있다고만 했지 호스피스 병동에 병문안을 간다고는 하지 않았기 때문에 적잖이 당혹스러웠다. 장례식을 치르고 학교에 온 지아는 멍하게 앉아 있기 일쑤였다. 나는 뭔가 위로의 말을 건네야 한다고 생각했을 뿐 막상 아무 말도 못하고 쭈뼛거렸다. 어느 날인가 지아가 자기 집에 가자고 했다. 지아네 집은 지아 어머니가 하는 가게 뒤쪽에 딸려 있었는데 머리카락 하나 떨어져 있지 않을 만큼 깔끔했다. 솔직히 집이 그럴 수 있다는 데 약간 놀랐다. 그 집에 한 번 다녀온 뒤로는 자꾸 가고 싶었다. 어쩌면 지아의 방 책상 앞에 걸린 나비 사진 때문인지도 모른다.

사진속의 배경이 겨울이라는 것은 쌓여 있는 눈을 보고 알 수 있었다. 멕시코 시에라마드레 산맥의 숲. 지아가 액자 밑에 반듯한 글씨로 적어 두었다. 나뭇가지에 화려한 오렌지 빛 잎사귀들이 무수히 달려 있었다. 나뭇가지가 위태로워 보일 만큼 휜 것이 잎사귀의 무게 때문이라고 생각했다. 나비들이 겨울잠을 자고 있는 거야. 그 장엄한 광경을 연출하는 주인공은 나뭇잎이 아니라 모나크 나비였다. 난 나중에 멕시코에 갈 거야. 저 나비들 보러. 그 말을 들었을 때 막연히 나도 같이 갔으면 좋겠다고 생각했다. 물론, 그 말을 입 밖으로 내지는 않았다. 왠지 부끄럽고, 주제넘다는 생각 때문이었다. 저 나비들 말이야, 수명보다 더 긴 기간에 걸쳐 여행을 하는데 어미 나비는 죽어도 알은 나비가 되어 비행을 계속한대. 그 뒤로 나는 다큐멘터리 프로그램에서 우연히 모나크 나비를 보고 나서야 지아의 말이 실감났다.

긴 겨울잠을 자고 난 모나크 나비들은 짝짓기를 한 후 미지의 나라를 향해 대장정을 시작한다. 0.55g의 연약한 몸으로 수천 킬로미터에 달하는 멀고도 험한 여정을 떠나는 것이다. 여행은 3~4주간 계속되는데 알을 품고 온 어미 나비가 찾은 아기의 안식처는 독성이 강한 풀, '밀크위드'다. 다른 동물들이 그 풀을 먹을 경우 죽음에 이르는데 아기 나비들은 그 잎사귀를 먹고 자라 몸에 독성을 갖게 되어 자기 몸을 지킬 수 있다. 불가사의한 생존 전략이었다.

지아네 집에 드나들면서 지아에 대한 내 마음은 나날이 깊어졌다. 지아가 우리 집에 놀러 오고 싶다고 했을 때 거절할 수가 없었다. 우리 집은 늘 빨랫감과 설거지 거리가 쌓여 있고 이불도 제대로 개켜 있지 않았다. 지아는 우리 집에 오자마자 늘 드나들던 곳처럼 설거지를 시작했다. 나에게는 청소를 시켰다. 주객이 바뀐 상황에 얼떨떨했지만 이내 적응했다. 함께 떡볶이를 만들어 먹기도 했는데 그런 날은 내가 설거지를 하고 지아가 청소를 했다. 지아가 다녀가면 우리 집은 다른 집이 되었다. 애가 요즘 애들 같지 않고, 손끝이 야무지네. 엄마는 지아를 칭찬했다. 그런 일이 몇 번인가 계속되었고, 지아가 오지 않은 날에도 나는 설거지와 청소를 했다. 그러던 어느 날 엄마가 더 이상 지아와 어울리지 말라고 했다. 그때까지만 해도 우리 가게에서도 맥주를 파는데 지아네에 손님을 빼앗겨서 그러는 거라고 생각했다. 그즈음 지아 엄마의 가게에 손님이 늘어나는 반면, 우리 가게는 손님이 줄었다. 그게 아니라는 걸 깨닫는 데는 그리 오래 걸리지 않았다.

폐관 시간까지는 두 시간이 남아 있다. 예상 문제 두 개는 풀 수 있는 시간이었다. 나는 애써 마음을 다잡아 문제로 눈을 돌렸다. 하지만 여전히 문제는 물론, 글자도 눈에 들어오지 않았다. 수시 전형에서 미끄러진 뒤 발등에 떨어진 불을 끄는 격으로 준비한 것이 논술고사였다. 그동안 수시전형에 맞춰 쌓아 온 스펙들이 물거품이 되었고, 남은 건 논술고사밖에 없었다.

학교 측에서는 나 같은 애들을 위해 구원투수를 급조해 단기 특강을 열었다. 강사는 지난해 명문 대학교 논술전형 합격자인데 논술의 달인으로 명성이 자자한 선배였다. 말주변이 좋고 재기가 번득이며 임기응변도 능해 처세술도 좋아 보였다. 내일 죽을 사람에게도 육 개월 할부로 백만 원짜리 약을 팔고, 적진에 끌려가서도 살아남을 유형이었다. 하지만 그와 나는 학습 성향과 문제를 해석하는 관점, 또 다른 뭔가가 맞지 않았다. 나는 그가 주장하는 답의 핵심에 접근하지 못했고, 그가 첨삭한 부분에 동의할 수 없었다. 언쟁이 오갔다. 키워드를 찾아야지. 전 이게 키워드라고 생각하는데요. 어째서 그게 키워드야? 또 찾아낸 키워드에 따라 제시문의 공통점을 찾아야 하는데 이게 공통점인가? 그는 자신의 노하우를 따르지 않는 나를 몹시 못마땅하게 여겼다. 나는 그에게서 벗어나고 싶었고, 결국 독학을 선언했다. 논술반의 이단아. 나에게 붙은 별명이었다. 수시 망치고 저러다가 논술까지 망치지. 입시의 쓴맛을 못 봐서 그런다느니 어쩌고, 뒷담화가 심심찮게 들려왔다. 고등학교 2학년 초까지만 해도 이렇게 될 거라고는 생각지 못했다.

나는 집에서 가깝고 내신에 유리한 학교에 입학했고, 그 뒤로 스펙이 될 만한 프로그램에 모두 참여했다. 잠을 대폭 줄인 강행군 속에서 어느덧 자타가 공인하는 명문대 수시합격 후보자 1위로 지목되었다. 그런데 2학년이 되자마자 국제고에 진학했던 엄선우가 전학을 왔다. 누구도 견줄 수 없을 만큼 녀석의 실력은 뛰어났다. 게다가 나 같은 맹탕은 흉내조차 낼 수 없는 호탕한 면모를 지녔다. 결국 교장의 추천서를 독점했다. 굴러온 돌이 박힌 돌을 뺀 셈으로, 나는 녀석의 들러리를 서는 형국이었다. 결국 녀석은 지원한 학교 모두 수시 1차 관문을 통과했고 수능 최저등급을 맞추는 요식행위만 남았다. 녀석이 승리의 팡파르를 울리고 있을 때 나는 도서관으로 숨어들었다. 아직 수능 결과 발표 전이고 논술전형이 남아 있기는 하지만 열패감에서 벗어나지 못했다. 논술전형은 특목고 아이들을 위한 것이라는 말도 있고, 수능 최저등급 제한도 있어서 결과를 예측하기 어려웠다.

종례가 끝난 뒤 급히 교실을 나서는데 엄선우가 다가왔다. 너나 나나 수능 결과에 따라 운명이 바뀌는 건데, 세상에 날고 기는 애들이 한둘이어야 말이지. 틀린 말은 아니지만 이 시점에서 엄선우가 나에게 할 말은 아니지 싶었다. 나는 그러게, 하고 말았다. 참,

너 내일 논술이지? 대답하기 싫어서 고개만 끄덕했다. 근데 하필 내일이냐? 자조 섞인 어조로 시작해서 상대의 약점을 콕 꼬집는 화법이었다. 거기다 픽 웃기까지 했다. 녀석에 대한 반감과 스스로에 대한 자괴감을 동시에 느꼈다. 교실을 나와 도서관까지 오는 동안 상반된 두 감정이 교차하며 나를 짓눌렀다. 하필 내일이냐? 그 말이 오늘은 지아의 기일인데 문제집과 씨름을 해야 하다니 너도 참 안됐다, 라는 말로 들렸다. 마음 깊숙이 꾹꾹 눌러놓은 치부를 들켜 버린 기분이라고나 할까. 가까스로 지탱해 온 자존심이 한순간에 무너져 내렸다.

평소에도 녀석의 언행이 거슬리곤 했다. 약자를 무시하는 태도와 거만한 말투, 지극히 개인주의적이며 허세가 밴 몸짓. 중학교 때만 해도 쿨한 녀석이라고 생각했는데. 어쨌거나 그 전까지 나에게 집중되었던, 명문대를 향한 입시 전략이 녀석에게로 향하기 시작한 무렵의 일이었다. 심화반 야간자기주도 학습이 시작되기 전 석식을 먹으려고 줄을 서 있는데 갑자기 음식 냄새가 역겹고 속이 메스꺼웠다. 점심으로 먹은 돈까스 때문에 나타난 소화불량 증세였다. 석식을 포기하고 곧장 심화반 면학실로 갔다.

텅 빈 면학실에서 녀석이 책상에 걸터앉아서 창밖을 내다보고 있었다. 인기척을 느낀 듯 뒤를 돌아봤다. 언제까지 쓸데없는 스펙이나 쌓을 생각이야? 대구하고 싶지 않았다. 내 마음을 읽었는지 녀석이 목소리를 높였다. 아카데미쿠스 말이야, 개나 소나 다 하는 데다 선배들이 다 우려먹어서 더 우려낼 것도 없는 걸 붙들고 있어서 뭐 하냐? 시간 낭비지. 녀석은 어떻게 알았는지 그때까지 내가 쌓아 올린 활동들을 일일이 지적하고 폄하했다. 녀석의 지적대로라면 내가 지금까지 해 온 것은 모두 쓰레기에 불과했다. 반발심이 일었지만 침묵으로 응대했다. 그렇게 해서 SKY에 들어가겠냐? 전략을 바꿔야지. 나는 석식 마감시간이 얼마 안 남았는데 밥은 안 먹냐고 말을 돌렸다. 녀석이 먹어야지, 하면서 빠른 걸음으로 면학실을 빠져나갔다. 하지만 식당으로 갔는지 농구 골대로 갔는지는 알 수 없었다.

녀석과 내가 그렇게나마 이야기를 해 본 것은 그때가 처음이었다. 석차 1,2등으로 선생들과 아이들의 입에 오르내리고, 중학교 동창이기도 했지만 이렇다 할 친분은 없었다. 서로에 대해 잘 모른다는 건 나름 이점이 있었다. 불필요한 경쟁심이나 질투심을 가질 필요가 없다는 거였다. 그럼에도 나는 녀석의 말에 주눅이 들었다. 녀석이 나에게 정말 하고 싶은 말은 따로 있는 게 아닐까 하는 생각 때문이었다. 야, 이민찬! 지아가 옥상에 올라갔을 때 비상벨이나 누르고 있을 게 아니라 곧장 옥상으로 달려갔어야지.

엄마가 지아와 더 이상 어울리지 말라고 했을 즈음이었다. 시험을 며칠 앞둔 교실은 늘 그렇듯이 아슬아슬한 긴장감이 돌았다. 급식을 먹고 교실로 돌아와 책을 보고 있는데 뒤쪽에서 욕설이 들렸다. 씨발! 존나 재수 없어. 곧 아이들이 동요했다. 그제야 나는 뒤를 돌아봤다. 한 아이가 지아를 향해 엠창이 어쩌고 하면서 패드립을 하자 몇 명이 거들며 지아를 둘러쌌다. 이어 지아의 책상을 넘어뜨리고 가방을 쏟았다. 그것도 모자라 지아의 가방에서 나온 소지품을 밟고 침을 뱉었다. 순식간의 일이었다. 지아는 얼굴이 하얗게 질린 채 교실에서 뛰쳐나갔다.

나는 지아의 뒤를 따라 나갈 수도 있었다. 아니, 마땅히 그래야 했는데 머뭇거리다가 시기를 놓쳤다. 지아와 사귄다는 말을 의식했는지, 지아의 단호함이 내 발을 멈추게 했는지는 정확하지 않다. 다만, 지아의 표정과 몸짓이 아주 무서운 일을 예고하는 거라고 직감했다. 조금 지나서 쾅, 하고 철문이 닫히는 소리가 들렸고, 나는 지아가 신관 옥상으로 올라갔을 거라고 확신했다. 옥상은 학생출입금지 구역이고 옥상으로 통하는 철문은 늘 잠겨 있었다. 그럼에도 왜 내가 그런 확신을 했는지는 스스로도 의문이었다. 지아가 철문을 닫았다고 해도 3층에 있는 교실까지 그 소리가 들릴 리만무했다.

나는 허둥지둥 복도로 뛰어나가 운동장을 향해 난 유리창으로 신관 옥상을 바라봤다. 지아가 난간 가까이에 서 있었고 하늘에는 뭉게구름이 유유히 떠 있었다. 쾅 소리 못지않게 현실감이 느껴지지 않는 광경이었다. 나는 불길한 예감을 떨치지 못하고 지아를 쳐다봤다. 순간, 지아의 몸이 옆으로 쏠리더니 그대로 푹 꺾였다. 이내 지아의 모습이 보이지 않았다. 쓰러진 것이라고밖에 볼 수 없었다. 내가 잘못 본 거겠지 하면서도 머릿속이 텅 비고 다리가 후들거렸다.

점심시간의 막바지였고, 복도는 그야말로 소란의 정점을 찍고 있었다. 누구도 지아에게 관심을 갖지 않았고 옥상에서 무슨 일이 일어나고 있는지 알아차리지 못했다. 한지아 옥상에 올라갔어! 한지아가 옥상에…… 소리쳤지만 아무도 내 말에 귀를 기울이지 않았다. 나는 소화전 옆의 비상벨을 눌렀다. 비상벨은 시도 때도 없이 울려서 양치기 소년의 외침처럼 효과가 없었다. 결국 교무실로 달려갔다.

처음에는 무슨 뺄 소리냐 하는 눈빛이었던 담임이 순간적으로 어떤 직감을 했는지 벌떡 일어섰다. 옆자리 선생에게 혹시 옥상 문 열려 있냐고 물었다. 어제부터 폐기물 철거한다고 신관 쪽 문 열어뒀잖아요. 교무실이 술렁거리고, 뒤늦게 달려 나간 담임이 옥상으로 올라갔을 때까지의 시간은 아주 더디게 흘렀다.

하지만 정작 지아를 옥상에서 업고 내려온 건 엄선우였다. 5교시 예비 종이 울릴 때까지 농구 골대 앞에 있다가 신관으로 통하는 구름다리를 뛰어서 건너가는 지아를 본 모양이었다. 옥상에서 무

슨 일이 있었는지 지아의 얼굴은 창백한 채 의식마저 없었다. 지아
는 곧장 보건실로 옮겨졌다. 그 뒤로 구급차가 오기까지 나는 가슴
이 조여들었다. 5교시 수업종이 울린 지 한참이 지났는데도 아이
들은 교실로 들어가지 않고 떼 지어 몰려다녔다. 선생들의 고함과
안내방송이 잇달았다.

　나는 구급차가 오기를 기다리면서 보건실 앞을 맴돌았다. 구급
차에 실려 갈 때까지 지아의 혈색은 돌아오지 않았다. 교실로 돌아
와서도 나는 수업에 집중하지 못했다. 지아가 죽을지도 모른다는
생각이 들었고, 무서웠다. 학교가 파할 때까지 아무도 지아의 소
식을 알려 주지 않았다. 나는 오후 내내 검은 베일이 학교를 뒤덮
고 있는 느낌에 사로잡혀 있었다. 지아가 무사하다는 소식을 들은
것은 엄마 아빠가 집으로 돌아온 한밤중이었다. 어수선한 동네일
수록 소문은 빠르게 번지기 마련이었다. 애가 안됐지 뭐예요. 뇌
전증이래요. 저러다 크게 다치기라도 하면 어쩐대요. 조심하는 거
밖에 더 있겠어.

　지아가 다시 학교에 나온 것은 그로부터 일주일 후였다. 그 시
간은 한 달 아니, 1년보다 길게 느껴졌다. 그사이 학교에서는 학교
폭력 대책 자치위원회가 열렸다. 지아를 향한 아이들의 패드립이
나 괴롭힘이 지속적인 건 아니었으며, 악의가 있었다고 보기는 어
렵다는 판결이 나왔다. 가해자에 대한 처벌 수위도 서면 사과와 교

내 봉사로 그쳤다. 무엇보다 지아의 어머니가 그 이상의 처벌을 원치 않았다.

그 뒤로 지아는 누구와도 어울리지 않았고, 우리 집에 놀러 오지도 않았다. 복도에서 어쩌다 눈이 마주쳐도 얼른 눈을 돌려 버리는 터에 나 또한 다가설 엄두를 내지 못했다. 지아가 그렇게 멀어져 가는 것이 안타까웠다. 하지만 지아와의 관계를 회복할 방법을 끝내 찾지 못했다. 3학년 때는 다른 반이 되어 먼발치에서가 아니면 얼굴 보기도 어려웠다. 지아네 가게에서는 여전히 술에 취한 남자들과 지아 엄마, 누나들이 깔깔거리는 소리가 흘러나왔다.

그 후로 얼마 안 가서 우리 집은 치킨 가게를 옮기면서 이사도 해서 지아네 집과 거리가 멀어졌다. 자연스럽게 지아네 집 근처에 갈 기회가 없었다. 그렇다고 해도 지아와 한 번쯤 마주칠 법도 한데 그러지 않았다. 일부러 지아가 나를 피해 샛길로 다니는지도 모른다는 생각이 들었다. 나는 작정하고 지아네 집 근처를 기웃거리기도 했다. 하지만 매번 문을 두드리지 못하고 돌아섰다. 그럴 때마다 엄선우가 떠올랐다. 엄선우처럼 옥상에 올라가 지아를 업고 내려왔더라면 이 문을 두드릴 수 있겠지.

그런데 중학교 졸업식 전날 교문 앞에서 몇 발짝 떨어진 거리에 있는 지아를 봤다. 나는 친구들과 함께 모처럼 PC방에 가는 길이었다. 지아가 나를 빤히 쳐다봤다. 나는 몸속의 피가 빠르게 도는 걸 느꼈다. 지아에게 말을 걸고 싶었고, 그러려고 했는데 우물쭈물하다가 놓치고 말았다. 집에 돌아와서야 지아가 나를 기다렸는지도 모른다는 생각이 들었고, 밤새 잠들지 못했다.

다시 지아와 마주친 건 고등학교 입학식 날이었다. 지아와 같은 학교에 가기를 기대했지만 막상 입학식장에서 지아를 보자 얼떨떨했다. 지아는 어딘지 달라져 있었는데 그건 외모라기보다는 분위기였다. 또래보다 훨씬 성숙해 보이는 것 외에도 쉽게 다가갈 수 없는 무언가가 있었다. 그런 지아가 낯설었다. 며칠 뒤 복도에서 마주쳤는데 나도 모르게 고개를 돌렸다. 그 뒤로 고등학교에 다니는 동안 지아와 한마디 말도 하지 못했다. 지아에게 미안하고 나자신이 부끄러웠다. 그럴수록 지아는 내 안에 점점 깊이 들어왔다.

지아는 '인디필름구락부'라는 사진 동아리에 들어가서 주말이나 휴일에 사진을 찍으러 다녔다. 사진을 찍다가 나무에서 떨어졌다고 깁스를 하고 다닌 적도 있었다. 동아리 사진전에서 모나크 나비를 봤다. 그 사진을 지아가 직접 찍었을 거라는 생각은 들지 않았다. 먼 훗날이라면 모를까, 멕시코까지 가서 사진을 찍었을 리 없을 테니까. 내가 아는 지아는 그렇게 멀리까지 갈 만큼 모험심이 큰 아이는 아니었다. 아니, 그때까지도 나는 멕시코에는 나와 함께 가야 한다는 생각을 갖고 있었다. 언젠가는 그날이 올 거라고 믿었다. 그런데 그럴 수 없게 되고 말았다.

지아가 죽었다는 소식을 처음 접했을 때 가장 먼저 떠올린 것은 지아의 얼굴이 아니라 모나크 나비였다. 왠지 그 나비 때문에, 나비 사진을 찍다가 잘못됐을 거라고 생각했다. 그런데 지아는 자기 방에서 목을 맸다. 유서가 없었기 때문에 왜 그런 선택을 했는지는 끝내 밝혀지지 않았다. 나는 지아의 장례식에 가지 않았다. 왠지 거기에 가는 것은 지아와 영영 작별하는 거라는 생각이 들었다. 내 마음속의 지아는 살아 있어야만 했다.

지아의 장례식이 끝나고 보름쯤 지난 토요일, 지아네 집 앞을 지나치게 되었다. 봉사활동을 하기로 한 요양병원이 그 근처였다. 마침 밖에 나와 있던 지아의 어머니와 마주쳤다. 그녀는 얼굴이 까칠하고 머리는 부스스했다. 딸을 잃은 어머니의 마음이 조금은 헤아려졌다. 나는 무슨 말이든 해야 한다고 생각했을 뿐 목례만 했다. 멋쩍어서 얼른 돌아섰는데 그녀가 나를 알아보고 불러 세웠다. 민찬이구나. 예에, 안녕하세요? 집에 잠깐 들어오지 않을래? 봉사활동 시간까지는 20분이나 남아 있었고 딱히 거절할 명분이 없었다.

그녀는 나에게 양해를 구한 뒤 맥주 컵에 소주를 따라 마셨다. 그런 그녀의 모습이 잎을 모두 벗어 버린 나무처럼 보였고, 그래서인지 조금 서글퍼졌다. 친구라고는 너밖에 없었는데. 지아는 중학교 때 옥상에서 발작을 일으킨 뒤부터 누구와도 소통하지 않았다.

틈만 나면 혼자 산을 오르거나 들판을 쏘다니며 나비 사진을 찍었다. 거기까지 말하고 지아의 어머니는 딸꾹질을 했고, 또 술을 따라 마셨다. 나는 그만 일어서야 한다는 생각이 들었다. 무슨 말을 해야 할지 몰라 건강하세요, 하고는 고개를 숙였다.

막 돌아서려고 하는데 그녀가 자식 앞세운 년이 건강은 무슨 건강이냐고 푸념조로 내뱉었다. 모든 게 다 내 탓이야. 내가 술장사만 안 했어도……. 그녀가 와락 울음을 터뜨렸다. 더는 참을 수 없어서 터져 나온 거라고밖에는 볼 수 없는 울음이었다. 방을 나서는 나에게 그녀는 또 놀러 오라고 했다. 나는 그러겠다고 했고, 그러려고도 했는데 막상 용기를 내지 못했다.

열람실 내부의 난방 외에 알 수 없는 열기가 몸을 후끈 달구었다. 목과 어깨가 뻐근해서 어깨를 뒤로 젖히고 허리를 바로 세웠다. 어디선가 수런거리는 소리가 나다가 잠잠해지더니 슬리퍼 끄는 소리가 들렸다. 작은 소음마저 귀에 거슬렸다. 가방을 챙겨 일어섰다. 이번에는 누군가가 훌쩍거리는 소리가 들리는 것 같았다. 설마 열람실에서 누가 울지는 않겠지.

그런데 울음소리가 맞았다. 폐관을 알리는 안내방송에 섞여 울음소리는 한동안 계속되었다. 심연에서 끓어오르는 서러움이라고나 할까. 도저한 어떤 것이 배어 있었다. 문을 나서던 사람들이 그를 힐끗거리면서 열람실을 빠져나갔다.

순식간에 열람실 안은 텅 비었다. 나는 열람실 문을 향해 걸어 가다가 꼼짝도 않고 엎드려 있는 그를 쳐다봤다. 뒷모습의 실루엣이 낯익다 했는데 계단에서 컵라면을 먹던 아저씨였다. 나는 다시 발을 떼었다가 그가 마음에 걸려 멈춰 섰다. 그를 혼자 남겨 두고 가서는 안 된다는 의무감 같은 것이 발동했다. 잠시 그쳤던 울음소리가 다시 계속되었다. 공공장소에서 소리 내어 울다니. 그것도 어른이. 하지만 그건 자제력과는 무관한 게 아닐까. 더는 참을 수 없는 어떤 것이 터져 나온 게 분명했다.

열람실 밖에서 빨리 퇴실하라는 경비원의 목소리가 들렸다. 아저씨가 울음을 그치고 가방을 챙겼다. 나는 출입문을 향해 가면서 그를 돌아보지 않으려고 애썼다. 계단을 내려오면서 그의 모습을 지우려고 이어폰을 귀에 꽂았다. 평소보다 볼륨을 높여 노래를 들으면서 도서관을 나섰다. 버스 정류장을 향해 걷고 있는데 그가 내 옆을 지나쳐 갔다. 길 건너에서 우리 집 방향으로 가는 버스가 오고 있었다. 마침 신호등이 바뀌어 걸음에 속도를 냈다. 버스에 오른 뒤 창밖을 내다봤다. 그는 고개를 떨어뜨린 채 걷고 있었다. 한밤중의 거리에 그만이 홀로 있는 느낌이었다. 순간, 지아네 집에 다녀오지 않으면 안 될 것 같았다.

이미 내려져 귀퉁이에 세워져 있는 간판만 봐도 닫힌 문 안쪽의 썰렁한 분위기가 짐작됐다. 밤늦게 불쑥 찾아온 나를 지아 어머니는 어떻게 생각할까. 선뜻 문을 두드리지 못하고 서 있는데 누군가 가 문을 밀고 밖으로 나왔다. 나는 흠칫 놀라 얼른 돌아섰다.

"왔냐?"

뜻밖의, 그러나 익숙한 목소리였다. 네가 여긴 웬일이냐, 라는 말이 목구멍까지 올라왔다가 쑥 들어갔다. 엄선우라면 얼마든지 지아네 집에 올 수 있고, 올 자격도 충분히 있었다.

"안 그래도 지아 어머니가 널 기다리시는 것 같던데."

지아 어머니가 나를 기다리다니. 무슨 일로? 그런 생각을 하고 있는데 엄선우가 내 어깨를 툭 쳤다.

"중학교 때 말이야, 미술 시간에 초상화 그렸던 거 생각나냐? 너랑 나랑 지아랑 같은 조였잖아. 근데 지아가 넌 훈남으로 그리고 난 완전 찌질이로 그린 거."

"그랬나?"

"그때 알아봤어. 지아가 널 좋아한다는 거. 은근 자존심 상하더라. 괜히 너한테 진 기분이고."

나는 무슨 말을 해야 할지 몰라 땅만 쳐다봤다.

"근데 옥상에서 걔 아픈 거 보고 나서는 그딴 거 따지지 말고 잘해 주고 싶더라고. 물론, 그럴 기회가 없었지만."

엄선우는 전학 온 뒤 일부러 지아가 속해 있는 인디필름구락부에 지원했다. 동아리에서 사진을 찍으러 같이 다녔는데 지아가 눈

길도 주지 않았다. 두 번 차인 기분이었다.

빨리 들어가 봐라, 하고 돌아서는 엄선우의 어깨가 여느 때보다 더 단단해 보였다. 낼 시험 잘 보고! 한 발짝 떼었다가 돌아서서 손을 높이 들며 말했다. 그 모습에 중학교 2학년의 엄선우가 겹쳐졌다. 나는 녀석의 뒷모습이 보이지 않을 때까지 서 있다가 지아네 집의 문을 두드렸다.

지아 어머니는 반색하며 잊지 않고 와 줘서 고맙다고, 마침 잘 왔다고 했다. 정말 나를 기다리기라도 한 것처럼. 나는 아무 말도 못하고 어정쩡하게 서 있었다.

지아의 방은 별로 달라지지 않았다. 책상 위에 걸어 둔 액자 속에서 모나크 나비는 여전히 비상을 준비하고 있었다. 가족사진 속에서 활짝 웃고 있는 지아도 옛날 모습 그대로였다. 액자 옆에 꽃다발이 놓여 있었다. 흰 국화. 지아 어머니가 꽃을 가리키며 전에 옥상에서 지아를 구해 준 애가 다녀갔다고 했다. 정말 고마운 애라고. 장례식장에서도 묵묵히 일을 거들어 주었다고 덧붙였다.

"이거, 너 갖지 않을래?"

지아의 어머니가 모나크 나비 사진 액자를 내밀었다. 뭐라고 말해야 하는데 선뜻 말이 나오지 않았다. 아니, 왠지 그걸 내가 가져야 한다는 생각이 들었고, 솔직히 갖고 싶었다.

"지아가 이거 네가 가졌으면 할 거 같아서."

"……."

"지아 일기장에서 봤어. 나중에 너랑 같이 멕시코에 갈 거라고."

지아가 그런 생각을 하고 있었다니. 가슴이 뭉클했다. 나는 왜 지아에게 같이 가자는 말도 하지 못했을까.

"짐 정리를 하려던 참이야. 다음 주에 이사 가거든."

내가 묻지도 않았는데 그녀는 고향으로 갈 거라고 했다. 나는 예에, 라고밖에 말하지 못했다.

"지아랑 친구 해 줘서 고마워."

나는 지아에게 좋은 친구가 아니었다고 말하고 싶었다. 옥상으로 달려가는 지아를 붙잡지 못했다고, 아픈 지아를 돕지도 못했다고, 함께 멕시코에 가자는 말도 하지 못했다고. 하지만 혀가 굳어 버렸다.

"너 작가 될 거라며? 지아가 책에 네 사인 받을 거라고 엄청 기대했는데."

그렇게 말하고 그녀는 혼잣말하듯 중얼거렸다.

저나 나나 외로운 인생인데 서로 의지하며 살면 얼마나 좋았겠어……. 불쌍한 애야. 어려서 옆집에 살았는데 붙임성도 좋고 어찌나 살갑게 구는지 정이 많이 갔지. 근데 세상에 무슨 그런 일이 다 일어나는지, 부모가 한 차에 탔다가 교통사고를 당했어. 지아가 일곱 살 때. 그때 놀라서 그랬는지 발작을 해서 그 병이 있는 줄 알았지. 친척들이 아무도 지아를 안 맡겠다고 고아원에 보냈는데, 자꾸 눈에 밟혀서 찾아갔어. 애가 나한테 딱 달라붙어서 떨어지질 않는 거야. 그 길로 데려왔지. 우리 부부한테 애도 없고 해서 친딸이라고 생각하면서 키웠어. 근데 애 아빠 하던 사업이 부도나고 애 아빠는 병까지 걸리고. 나는 빚 갚고, 먹고사는 데 바빠서 지아를 챙길 겨를이 없었어. 뭐든 혼자서 잘 해내겠지 했는데, 그게 아니었던 거야……. 이럴 줄 알았으면 그냥 고아원에 놔둘걸. 좋은 집에 입양돼서 잘 살았을 텐데.

지아에게 그런 사연이 있을 거라고는 짐작도 하지 못했다. 알았다고 해도 내가 해 줄 수 있는 건 없었겠지만, 나는 극심한 무력감에 휩싸였다. 모나크 나비 말이야, 밀크위드가 없었다면 어떻게 살았을까? 지아가 물었을 때 나는 독을 만들어서라도 살았겠지, 라고 했다. 독을 만들어? 응. 독을 어떻게 만들어? 독기를 품는 거지. 아, 그렇구나. 독기를 품으면 되는구나. 그렇게 말했던 지아는 끝내 독기를 품지 못한 걸까.

돌아오는 버스에서 내려야 할 정류장을 놓쳤다. 한 정류장을 걸어오는 동안 언젠가는 시에라마드레 산맥의 숲에 가 봐야겠다고 생각했다. 그 숲 어딘가에서 지아를 만나면 미안하다고, 나에게도 너밖에 없었다고, 지금도 그렇다고 말할 것이다. 먼 미래에도 그럴 거라고.

집으로 접어드는 길목에서 문득 멈춰 섰다. 민찬아, 여기야, 여기! 지아의 목소리가 들리는 것 같았다. 순간, 아침까지는 보이지 않았던 나무 한 그루가 그림처럼 서 있었다. 세찬 바람이 나뭇가지를 흔들고 지나갔다. 나무가 휘청하면서 모나크 나비 떼가 공중으로 날아올랐다.

루체

빗소리에 눈을 떴다. 그새 잠이 들었던 걸까. 어쩌면 잠들지 않았는지도 모른다. 며칠째 비몽사몽으로 아무 생각 없이 지내 왔다. 빗소리가 점점 커졌다. 세상이 온통 빗소리에 잠긴다는 상상만으로도 온몸에 피가 도는 느낌이었다.

밖에서 왁자한 소리가 들렸다. 블라인드 틈새로 밖을 내다봤다. 고등학생으로 보이는 남녀 애들 무리였다. 빈집에 숨어들어 뭘 할 생각인지 하나같이 목소리가 들떠 있었다. 하지만 어둠이 내린 시간에 남녀 애들이 어울리는 것은 좋지 않다. 아니, 그건 어둠과는 무관한 일인지도 모른다. 물론, 나의 지나친 우려일 수도 있고, 내가 지금 남의 일에 관여할 처지도 아니다.

수명이 다한 형광등이 거무스름한 빛을 내뿜으며 깜박거렸다. 저 빛마저 사라지면 어둠이 방 안을 장악할 것이다. 어둠 속에서 밤이, 아침이 이어지겠지. 5층짜리 건물 한 동뿐인 이 빌라는 인근의 재개발 단지에서 유일하게 소외된 곳이다. 내가 있는 이 집 외에는 텅 비어 있다. 신축 아파트 공사장에서 날아드는 먼지와 소음을 견디다 못한 입주민들이 모두 이사를 갔기 때문이다. 골목 입구는 쓰레기들로 인해 악취가 넘쳐났다. 버려진 개나 고양이가 어슬렁거릴 뿐 사람의 발길은 끊긴 지 오래였다. 그런데 사흘 전부터 초등학교 고학년 혹은 중학생으로 보이는 아이들이 번갈아 가며 들락거렸다. 고요를 훼방 놓는 이 침입자들이 나는 달갑지 않다.

루체는 열두 시간째 바닥재 속에 몸을 묻은 채 꼼짝도 하지 않았다. 며칠 전에 넣어 준 크랩 전용 젤리도 그대로였다. 저러다가 죽어 버리는 건 아닐까. 루체가 껍질을 벗고 말랑한 몸통을 늘어뜨린 채 죽어 있는 걸 상상하면 안도감과 증오심이 교차했다. 탈피할 때가 되면 움직이지도 않고 밤마다 괴이한 소리로 우는 놈을 죽이고 싶은 충동에 휩싸이곤 했다. 죽이지 않고도 놈을 골탕 먹일 수 있는 방법이 떠올랐을 때 짜릿했다. 소주! 엄마는 남자 친구를 만날 때는 와인을 마시는 모양이지만 집에서는 소주를 마셨다. 마트에서 박스로 사다가 집 안 곳곳에 쟁여 놓았다. 몇 병 빼돌리는 건 일도 아니었다. 술에 절어 널브러진 놈의 몰골을 보고 있으면 통쾌했다.

오늘은 좀 특별한 거로 주지.

나는 루체의 쉘에 와인을 붓기 시작했다. '루체 델라 비테, 루체'. 아침에 떠오르는 태양 빛에서 영감을 받아 지은 이름이었다. 로고로 새겨진 태양의 이미지에 끌렸다. 능소화가 활짝 피었을 즈음, 엄마가 밤늦게 들고 온 술이었다. 이거 어디서 난 거야? 혹시 뇌물? 남친한테 받은 것도 뇌물이라면. 엄마가 딸에게 그런 말을 그렇게 쉽게 해도 되나? 그 순간 그 와인을 어떻게든 없애 버려야지 마음먹었다. 비싼 거라는데 버리기는 아깝고, 고심하던 차에 떠오른 게 소라게였다. 놈의 이름도 거기서 따왔다. 루체! 루체를 마시는 루체라니. 꽤 그럴듯한 그림이지 않나. 게다가 루체는 말을 할 줄 아는 소라게다. 다른 사람이 있을 때는 입을 열지 않지만 나와 단둘이 있을 때는 말을 했다. 그걸 친구들에게 말했을 때 모두 나를 미친 애 취급했다. 그 뒤로는 그 말을 입 밖에 내지 않았다.

일주일 전 집을 나올 때 가장 먼저 챙긴 것이 와인 루체와 소라게 루체였다. 루체! 태양 빛과 술, 소라게. 이 셋은 내가 없애 버리고 싶은 것이라는 공통점을 가졌다.

꼼짝하지 않던 루체가 꿈틀했다. 제아무리 단단한 껍질로 무장하고 쉘에 숨어 있다고 해도 태양 빛의 술에는 당할 도리가 없겠지.

드디어 놈이 다리를 뻗으며 쉘에서 기어 나왔다. 술에 절어서인지 평소보다 걸음은 느리지만, 발길질은 거칠었다. 나는 놈의 눈을 뚫어져라 바라봤다. 놈도 내가 못마땅한 듯 눈빛이 싸했다.

네가 그런다고 내가 눈 하나 깜짝할 거 같아? 지금이라도 마음만 먹으면 네 눈을 멀게 할 수도 있어.

나는 속으로 말했다. 내 마음을 읽었는지 놈이 몸통을 뒤틀면서 집게발을 들어 올렸다.

기 싸움이라도 하자는 건가? 뭐, 맘대로 해 보시지.

이번에는 놈을 향해 눈으로 말했다.

먹을 걸 주려면 제대로 된 걸 줘야지, 어째 만날 술이냐?

드디어 놈이 입을 열고 투정을 시작했다.

저기 젤리 안 보여?

저건 하도 먹어서 좀 질렸어. 그리고 이번 술 말이야, 저번 것보다 향도 좋고 목 넘김도 부드러운데 밍밍해. 톡 쏘는 맛이 없어.

오호, 술이 나쁘지는 않은데 이번 건 별로다? 하긴 네깟 놈이 술맛을 알 리가 없지.

놈이 케이지를 발로 차기 시작했다. 다리를 이쪽저쪽으로 내뻗으며 난폭해진 건 한순간이었다.

소라게를 여러 마리 키워 봤지만 루체는 정말 밉상이었다. 생긴 것부터 혐오스러운 데다 불그죽죽한 딱지 색깔도 그렇고, 성질까

지 더러웠다. 무엇보다 밤이면 기익긱 우는 소리를 냈다. 엊그제
만 해도 놈이 울어 대서 잠을 설쳤다. 참다못해 놈의 더듬이 하나
를 잘라 버렸다.

한바탕 소란을 피우고 난 놈이 다시 나를 쳐다봤다.

넌 왜 여기로 온 거냐?

놈이 물었다.

보면 몰라? 혼자 있고 싶어서지.

근데 난 왜 데리고 왔냐?

데려오긴, 가져왔지.

좋아, 가져왔다고 해 두자. 나한테 바라는 게 뭔데?

그런 게 있을 리가.

나를 괴롭혀서 네가 얻는 게 뭐냐고?

글쎄, 그건 네가 알 바 아니야.

네가 여기 이렇게 숨어 있으면 뭐가 해결되는데?

그것도 네가 참견할 건 아니지.

누구나 감당할 수 없는 일을 겪기도 하지만 다 너처럼 이렇게
숨어 버리지는 않아.

너 따위가 뭘 안다고 함부로 지껄이는 거야?

넌 어렸을 때부터 겁쟁이였어. 초등학교 2학년 때 생각나? 오늘
처럼 비가 오는 날이었지. 넌 우비를 입고 장화를 신었어. 엄마가

네 생일 기념으로 특별히 만들어 준 마카롱을 들고 말이야. 너는 매끈하고 바삭한 크러스트, 부드럽고 촉촉한 머랭, 달콤한 필링의 삼단 구조가 자아내는 맛과 혀끝에서 살살 녹는 감촉을 좋아했지. 그걸 친구들과 나눠 먹을 생각을 하면서 뿌듯했어. 학교로 가는 걸음이 절로 빨라졌지.

골목을 통과해서 우회전만 하면 교문이었어. 하필, 골목 끝자락에 기 센 5학년 언니들이 기다렸다는 듯이 서 있었어. 야, 빨간 장화, 이리 와 봐. 너는 마카롱 상자를 허리 뒤로 감추면서 한 발 물러섰어. 입술에 새빨간 틴트를 바른 언니가 네 곁으로 다가왔어. 그거 이리 내. 너는 꼼짝하지 않았어. 내 말 안 들려? 너는 고개를 저었어. 엄마가 생일 선물로 만들어 주신 거예요. 생선? 그 언니가 코웃음 쳤어. 어쩐지 좀 있어 보인다 했지. 옆에 서 있던 언니가 맞장구치며 손을 내밀었어. 너는 마카롱 상자를 가슴에 꼭 안았어. 얘들아, 얘 안 되겠다. 틴트가 말하며 나머지 둘에게 눈짓을 보내자 그 둘이 동시에 네 머리끄덩이를 잡았어. 넌 이를 악물고 마카롱 상자를 꼭 끌어안은 채 버텼어. 물론, 그런다고 물러설 언니들이 아니었지. 언니들이 동시에 달려들어 너를 밀어 넘어뜨렸어. 거기서 그치지 않고 네 장화를 벗겨 짓밟고 너에게 돌멩이를 던졌어. 네 이마가 패고 피가 흘렀지.

난 모르는 일이야.

모르긴, 기억하고 싶지 않을 뿐이겠지.

헛소리 지껄이지 말고 닥쳐!

워워, 너무 흥분하지 말고 들어 봐. 기왕 시작한 얘기니까 끝은 봐야지.

왜 이렇게 됐니? 선생님이 물었을 때 넌 넘어졌다고 했어. 눈이 아니라 이마를 다쳐서 천만다행이구나. 다음부터는 앞을 보고 조심히 걸어라. 엄마는 달랐어. 누가 그랬어? 너는 입을 꾹 다물었지. 누가 그랬는지 말해 봐. 넘어졌어. 이건 넘어져서 생긴 상처가 아니잖아. 바른대로 말해. 엄마가 집요하게 물었지만 너는 말하지 않았어. 입을 열면, 언니들에게 더 괴롭힘을 당할 테니까. 하지만 진실은 밝혀졌어. 네가 당하는 걸 본 아이가 있었거든. 선생님이 언니들을 불러 너와 대면시켰지. 그때도 넌 네가 넘어진 거라고 했어. 그 언니들이 잘했다고 아이스크림을 사 줬을 때 먹지 못했지만 말이야.

이제 소설도 쓰시나 봐.

그래, 소설이라면 좋을 텐데 말이야. 어쨌거나 그때 네가 사실을 말했다면 그 애들은 벌을 받았을 거야. 다시 그런 잘못을 저지르지 않았을지도 모르고. 네가 입을 다문 바람에 그 애들은 고학년이 되면서 더 악랄해졌어. 약한 애들을 때리고 물건을 빼앗고, 왕

따 시켰지. 그 애들을 그렇게 만드는 데 너도 일조한 거야.

사람이든 게든 술에 취하면 아무 말이나 지껄이기 마련이지.

넌 그 일이 일어나기 전으로 돌아가고 싶겠지? 하지만 그럴 수 없다는 걸 알잖아. 억울하지만 이젠 그 일에서 벗어나야 해. 치료를 받으라고.

벗어나고 뭐고 할 일 따윈 없어. 그리고 난 환자가 아니야.

그래, 쉽지 않다는 건 알아. 하지만 지금 네 꼴을 봐. 네 꼴이 어떤지 보라고.

내 꼴? 네 꼴이나 신경 쓰시지.

잘 들어. 중요한 건 네가 처음부터 그 일로부터 도망치려고 했다는 거야. 네 방에 틀어박혀서 마구 먹어 대더니 고깃덩어리가 됐고. 또 이렇게 숨어 버렸잖아. 그 자식들 말이야, 지금이라도 신고해. 그게 너를 위해서도 그 자식들을 위해서도 좋아. 제3의 피해자가 생기면 안 되잖아.

더 이상 참을 수가 없었다. 놈의 케이지를 발로 걷어찼다. 케이지가 덜컹거리자 놈이 움찔했다. 바닥재 속으로 기어 들어가면서 나를 힐끗 쳐다봤다.

루체라는 이름 말이야, 맘에 들어. 이런 이름을 가진 소라게는 나밖에 없을 거야.

루체가 우리 집에 온 것은 봄비가 부슬부슬 내리던 날이었다. 나보다 내 동생을 잘 챙기는 사촌이 동생에게 사 준 선물이었다. 중학교 1학년인 동생은 파충류와 곤충을 비롯해서 집에서 키울 수 있는 것이면 뭐든 사 달라고 졸랐다. 루체를 선물 받은 뒤로는 케이지와 바닥재, 산호사, 해수염, 심지어 루체의 친구들까지 줄기차게 사들였다. 하지만 동생의 루체에 대한 관심은 사랑땜에 불과했다. 햄스터와 달팽이, 장수하늘소를 비롯해 새로운 것이 등장하면 곧 그쪽으로 관심을 돌렸다. 루체의 먹이를 주거나 케이지 청소를 하는 것은 자연스레 내 몫이 되었다. 나름으로 열심히 했는데 솔직히 그건 다른 사람에게 보여 주기 위한 제스처일 뿐이었다. 아무도 보지 않을 때면 날카로운 집게로 놈을 높이 들어 올렸다가 떨어뜨리고, 젓가락으로 놈의 몸통을 쑤셔 댔다.

나를 그렇게 만든 건 다름 아닌, 놈이었다. 놈은 다른 소라게들에 비해 감정 표현이 유별나고 변덕이 죽 끓듯 했다. 기분에 따라 눈과 더듬이, 다리의 움직임이 바뀌고 모양새도 다양했다. 한번은 빨래한 뒤 옷을 널기 전에 털었는데 놈이 내 바지에 달라붙어 있었다. 세탁기 속에서도 죽지 않고 살아남은 것이다. 소름이 끼쳤다. 또 놈은 툭하면 케이지 밖으로 나오려고 했다. 뿐인가, 다른 소라게들은 탈피를 끝냈을 때 살짝 건드리기만 해도 죽었는데 놈은 젓가락으로 몸통을 쑤셔 대도 끈질기게 살아남았다. 나는 놈에게 술

을 들이부으면서 야릇한 흥분을 느꼈다. 집을 나오면서 놈을 챙겨
온 것도 그 때문이었다.

거울에 비친 내 모습은 놈의 말대로 고깃덩어리나 다름없었다.
석 달 남짓 아침에 눈을 떠서 잠들 때까지 눈에 보이는 족족 음식
을 먹어 댄 결과였다. 배가 고파서가 아니라 먹지 않고는 견딜 수
가 없었다. 그러니까 그것은 먹었다기보다는 입안에 뭔가를 쑤셔
넣었다는 편이 맞을 것이다. 엄마가 하도 사정하기에 받은 온라인
상담의 심리치료사도 나를 멈추게 하지 못했다. 엄마도 나를 말리
지 않았다. 내가 죽는 것보다는 그 편이 낫다고 생각했는지 모른
다. 언젠가부터 더 이상 엄마는 내 방문을 열지 않았다. 열지 못하
는 거였다. 이제 방문을 두드리지도 않았다. 처음에는 내가 소리
치는 게 겁났고, 나중에는 괴물처럼 변한 내 꼴이 보기 싫었을 것
이다. 그러다가 서서히 나를 포기했는지도 모른다. 그렇다고 생각
하면 서글퍼졌다.

엄마는 국어 선생님이고 자존심이 셌다. 오늘도 우아한 표정으
로 아이들에게 시를 읽어 줄까. 석 달 전까지만 해도 곧 선생을 그
만두고 여행을 다니면서 글을 쓸 거라고 했다. 내가 이렇게 된 뒤
로는 정년까지 채울 거라고 계획을 바꿨다. 내가 엄마의 삶까지 어
그러뜨린 셈이었다.

나도 석 달 전까지는 여느 아이들처럼 학교에 다녔다. 고민을

털어놓는 친구에게 조언도 해 주고 학급 임원으로서 맡은 일도 충실히 해냈다. 가끔 대회에 나가서 상도 탔다. 그날도 시에서 주관하는 영어토론대회에서 우수상을 받았다. 마침 토요일이었고 엄마와 외식을 하기로 했다. 그런데 상현으로부터 연락이 왔다. 날씨도 좋은데 야외로 놀러 가지 않을래? 친구들하고 가끔 가는 아지트가 있거든.

상현과 사귄 지는 1년이 됐고, 이따금 공원이나 으슥한 골목, 노래방에서 키스했다. 서로 그 이상은 하지 말자는 암묵적인 약속이 있었다. 상현과 전화를 끊은 뒤 엄마에게 봉사활동을 깜박했다고 거짓말했다. 거짓말인 줄 알면서도 엄마는 그날 받은 상 때문인지 흔쾌하게 허락했다. 그날 상을 받지 않았더라면, 엄마가 봉사활동이고 뭐고 같이 밥을 먹자고 끝까지 우겼더라면. 아니, 휴대전화의 배터리가 나갔거나 무음이기만 했어도 그 일은 일어나지 않았을지 모른다.

상현과 내가 그곳에 도착했을 때는 벌써 상현의 친구들이 와 있었다. 대낮인데 여기저기 술병이 굴러다니고 담배 연기가 자욱했다. 그 애들은 나에게 눈을 찡긋하고 손뼉을 치기도 했다. 환영 인사라고 하기에는 몸짓이 과하고, 왠지 거슬리는 데가 있었다. 그 애들은 연방 낄낄대면서 상현에게 술을 따라 주고는 나를 힐끗거렸다.

　상현이 술을 넙죽넙죽 받아 마시는 걸 보고 나는 조금 놀랐다. 상현에게 이런 면이 있었나? 그 애들 중 한 명이 나에게 술병을 들이대기 전까지만 해도 내가 사회성이 없고 성격이 까칠한 거라고 생각했다. 내가 고개를 젓자 그가 웃음을 터뜨렸다. 날카로운 것이 칠판을 긁을 때 나는 소리처럼 묘하게 신경을 건드리는 웃음소리였다. 나는 상현에게 그들과 어울리기 싫다는 눈짓을 보냈다. 상현은 취기 때문인지 도리어 나에게 술을 권했다. 얼떨결에 한 잔을 받아 마셨다. 한 잔 더 마실래? 상현이 말했을 때 나는 고개를 끄덕였다. 오, 잘 마시는데? 옆에 있던 아이가 술잔을 내밀었을 때도 거절하지 못했다. 그렇게 돌아가며 건네는 술을 몇 잔 더 마셨다.

　어느 순간부터인지 정신이 멍해지고 몸이 맥없이 풀어지는 걸 느꼈다. 나는 자제력을 잃은 채 평소에는 쓰지 않는 말투로 아무 말이나 내뱉고, 깔깔댔다. 애, 쫌 아까까지 혼자 내숭이란 내숭은 다 떨더니 취하니까 개웃기네. 그들은 동물원의 원숭이 구경하는 표정으로 술잔을 건넸다. 팔뚝에 뱀 문신을 한 아이가 상현을 불렀고, 그가 뭘 시켰는지 상현이 비틀거리며 밖으로 나갔다. 잠깐만 기다려! 상현이 혀가 꼬부라진 채 나를 향해 싱긋 웃었다. 상현이 나간 뒤 그들은 한층 고양된 분위기로 낄낄댔다. 야, 네 남친이 술 더 사 올 거니까 마셔. 맘껏 마셔. 오늘 갈 데까지 가 보자. 그 말의 뉘앙스가 듣기 거북했고, 무엇보다 상현이 없는 자리가 불편했다. 상현이 빨리 돌아오기만을 바라며 수시로 문 쪽을 쳐다봤다.

시간이 느리게 흘렀다. 나는 잠깐 바람 좀 쐬고 오겠다고 말하고 자리에서 일어났다. 머리가 핑그르르 돌고 몸이 휘청했다. 왼쪽 뺨에 흉터가 있는 아이가 문을 막아섰다. 들어오는 건 마음대로지만 나가는 건 마음대로 안 되지. 갑자기 목에 뭔가가 걸린 것 같고, 진땀이 났다. 야, 그냥 술이나 마시자는 소리니까 앉아. 한 아이가 나를 달래듯 하자 나머지가 제대로 걷지도 못하는 주제에, 하고 거들었다. 나는 그만 마시겠다고 단호하게 말했지만 이미 발음이 새고 혀가 꼬인다는 걸 알 수 있었다. 문을 막아섰던 아이가 술을 마시지 않으면 죽일 듯이 윽박질렀다. 나는 안 마시겠다고 버텼다. 결국 그들은 합세하여 내 입을 벌리고 술을 들이부었다. 술의 반은 입가로 흘러내렸지만 반은 목으로 넘어갔다. 그렇게 몇 번을 반복했다. 결국 나는 더 이상 몸을 가눌 수조차 없게 되었다. 의식은 더욱 빠른 속도로 흐려졌다.

깨어났을 때는 정신이 몽롱하고, 돌덩이가 몸을 짓누르는 느낌이었다. 공기는 텁텁하고 주변에는 깨진 술병과 찌그러진 캔이 나뒹굴었다. 한마디로 난장판 자체였다. 여긴 어디지? 내가 왜 여기에 있지? 무슨 일이 있었던 거지? 아득하고 막막한 이 기분은 뭐지? 기억을 더듬었지만 가물가물할 뿐, 그 어떤 것도 선명하게 떠오르지 않았다. 가까스로 몸을 일으켰다. 내 모습이 눈에 들어오는 순간, 머리칼이 쭈뼛 서고 공포가 등줄기를 타고 내렸다. 머리도 텅 비어 버렸다. 주섬주섬 옷매무새를 고쳤지만, 그저 멍하니 앉아 있는 것밖에는 아무것도 할 수가 없었다. 얼마나 지났을까. 하나둘 토막 난 기억이 되살아났다.

뱀 문신이 실실 웃으며 내 옆으로 다가오더니 내 팔을 붙잡았다. 놔. 이거 놔! 이거 놓으라고! 소리쳤지만 그건 내 생각일 뿐 내 입에서는 웅얼웅얼 알 수 없는 소리만 흘러나왔다. 결국 그가 나를 넘어뜨리고 덮쳤다. 나는 이를 악물고 그를 밀어내려고 버둥거렸다. 하지만 몸에서 힘이란 힘은 다 빠져 버린 뒤였다. 그다음! 그들은 마치 무슨 파티장에라도 모인 것처럼 환호했다. 다음! 다음! 한 번 더!

거기에서 기억이 끊겼고, 기억이 다시 살아날 때까지는 얼마간 시간이 걸렸다. 야, 이 개새끼들 뭐야? 뭐 하는 거야? 이 개새끼들아! 상현의 목소리 같기도 하고 아닌 것도 같았다. 뭔가가 깨지고 부서지는 소리에 이어 누군가가 병을 휘두르고 모두가 뒤엉겨 몸싸움을 했다. 어떤 것이 먼저이고 어떤 것이 나중인지 뒤죽박죽이었다. 아니, 모든 게 그저 환청이고 환영이었는지도 모른다.

나는 살아 있다는 게 저주스러웠다. 눈물도 나오지 않았다. 차라리 죽이지. 그 편이 훨씬 나았을 거라는 생각이 들었다. 열린 문

틈으로 햇살이 들어와 사정없이 눈을 찔러 댔다. 집으로 가야 하는데 엄두가 나지 않고, 돌아가는 길도 생각나지 않았다. 아니, 집으로 돌아갈 수도 없고 돌아가서도 안 될 것 같았다. 나는 이전의 내가 아니고, 나에게 세상은 이미 다른 곳이 되어 버렸다. 어찌어찌 집에 간다고 해도 환한 거실에 발을 디딜 수 있을까. 엄마의 얼굴을 쳐다볼 수 있을까. 동생과 눈을 맞출 수 있을까. 나는 무릎을 끌어안은 채 머리를 묻고 앉아 있었다. 얼마나 지났을까. 한 시간? 아니면, 두 시간? 어쩌면 고작 10분이나 20분 정도의 시간이 흘렀는지 모른다. 이미 시간은 아무런 의미도 없었다.

상현이 내 앞에 나타났을 때 무슨 말을 해야 할지 몰랐다. 왜 나를 여기로 데려왔냐고, 나를 두고 어딜 갔었냐고 원망할 수도 없었다. 수치심이 혀를 굳게 만들었다. 상현은 내 눈을 똑바로 쳐다보지 못했다. 상현의 입술이 터지고 소맷자락에 피가 묻어 있었다. 상현은 왜 이제야 온 걸까. 나에게 무슨 일이 있었는지 알고 있을까. 내 몰골만 봐도 짐작하겠지. 아니, 이 개새끼들아, 하고 울부짖으며 병을 휘두른 게 상현이었을까.

상현이 헝클어진 내 머리를 정돈해 주려는 듯 손을 뻗었다. 하지 마! 진저리치며 상현을 밀어냈다. 상현은 여전히 내 눈을 쳐다보지 못했다. 고개도 들지 못했다. 데려다줄게. 싫다고 하고 싶었지만 나는 혼자서는 걸을 수도 없었다. 아무 말도 하지 않고 어둠이 내릴 때까지 기다렸다가 그곳을 나왔다. 우리 집 앞에서 상현이 돌아섰다. 나는 차마 초인종을 누르지 못하고 주저앉았다. 상현이 엘리베이터를 타려다 말고 나를 돌아봤다. 미안해.

엄마는 나를 훑어보고 얼굴이 하얗게 질린 채 주저앉았다. 무슨 일이 있었는지 묻지 않았지만 모든 걸 직감한 눈치였다. 누구야? 누가 그랬어? 몰라. 말하라니까. 모른다고 했잖아. 그 말을 끝으로 나는 입을 꾹 다물었다. 말 안 하면 너 죽고 나 죽는다. 엄마는 집요했지만 내 고집을 당해 내지는 못했다. 병원에 가자. 나는 이를 악물고 고개를 저었다. 병원에 가자. 제발! 병원에 가면 소문날 거야. 지금 소문이 문제야? 네가 살고 봐야지. 아니, 나보고 죽으라는 말로 들려. 결국 엄마는 구급약통과 함께 밤새 앓는 내 곁을 지켰다.

그래, 아무 일도 없었던 거야. 그저 나쁜 꿈을 꾸었던 것뿐이야. 아주 먼 데로 이사 가자. 네가 원하면 유학을 가도 되고. 엄마만 믿어. 무슨 일이 있어도 널 지켜 줄 테니까. 엄마는 입술을 떨며 말했다. 분노와 절망은 내 몫만이 아니었다. 꿈이었기를, 다만 악몽이었기를 간절히 바랐지만 숨을 쉬지 못할 정도의 고통이 몸과 마음을 지배했다.

다음 날은 일요일이었다. 하루 종일 시체처럼 누워 있었다. 다음 날도 마찬가지였다. 엄마는 연가를 내고, 나는 체험학습원을 냈다. 내일은 학교에 가야 돼. 나는 고개를 끄덕였다. 막상 다음 날이 밝았는데도 일어날 수가 없었다. 엄마가 나를 일으켜 세웠다. 오늘 안 가면 안 돼. 엄마는 알고 있었을까. 그날 내가 학교에 가지 않으면 영영 가지 못하리라는 걸. 엄마의 간절한 눈빛을 외면할 수가 없었다. 일어나서 샤워하고 옷도 입었다. 데려다줄게. 아니, 머리 좀 말리고 알아서 갈게. 엄마는 나를 안아 주고 출근하기 위해 동생과 함께 집을 나섰다.

나는 머리를 말리는 둥 마는 둥 하고 현관 앞으로 갔다. 도어록을 돌리는데 현기증이 나고 다리가 후들거렸다. 멍하니 앉아 있다가 시계를 봤을 때는 이미 등교할 시간이 지난 뒤였다. 그때까지 지각한 적이 없었다. 자타가 공인하는 모범생이었고 앞으로도 그럴 거라고 생각해 왔다. 이제 그런 건 아무 소용이 없게 됐다. 아니, 딱 하루만 더 아무도 없는 데서 쉬고 싶었다. 그러고 나면 모든 게 제자리로 돌아가 있을 것만 같았다. 그럴 거라고 믿고 싶었다. 공부도 열심히 하고 대회에 나가서 상도 받고. 그런 생각을 하자 목이 조여들고 이가 딱딱 부딪쳤다. 아무렇지도 않은 듯이 교실에 앉아 있는 내 모습을 상상할 수 없었다. 친구들과 수다를 떨고 급식실로 달려갈 수 있을까. 할 수 있어. 걱정하지 말고 나가. 어서. 문을 열고 나가라고! 내 안의 내가 지시했다. 하지만 내 발은 뒷걸음질 쳤다. 결국 현관문을 여는 대신 내 방으로 들어가 문을 걸어 잠갔다.

그날 이후 집에 누가 있을 때는 방에서 한 발짝도 나가지 않았다. 또 내 방에 아무도 들어오지 못하게 했다. 휴대전화 번호를 바꾸고 그 누구의 번호도 저장하지 않았다. 오로지 엄마와만, 그것도 문자 메시지로만 소통했다. 돈까스 먹을래? 응. 과일은? 아니. 피자는? 응. 레귤러? 아니. 라지? 응. 페레로로쉐 대용량? 응. 밥과 간식은 엄마가 방문 앞에 놓아두면 안으로 들였다가 빈 그릇 혹은 쓰레기를 밖으로 내놓았다. 화장실 갈래? 응. 생리대는 욕실 벽장 왼쪽에 넣어 뒀어. 응. 그러면 엄마는 방으로 들어갔다. 이따금 동생이 짜증내는 소리가 들려왔다. 그럴 때면 이어폰을 끼고 음악을 들었다.

그 외에는 아무것도 하지 않았다. 심지어 몇 시간 동안 한 자세로 꼼짝도 하지 않았다. 그럼에도 먹는 것만큼은 쉬지 않았다. 몸이 점점 부풀어 올랐다. 팔과 다리가 접히지 않고, 고개를 숙이거나 목을 돌리는 것도 어려울 지경이 되었다. 덩달아 정신도 몽롱해졌다. 어느 순간부터 다행인지 불행인지 더 이상 음식이 들어가지 않았다. 엄마는 여전히 방문 앞에 음식을 놓아두었지만, 나는 방에 음식을 들이지 않았다. 괜찮아? 괜찮은 거야? 정말 괜찮은 거냐고? 처음에는 ㅇㅇ로, 다음에는 ㅇ로 대답하다가 결국 그것마저도 하지 않았다.

낮이고 밤이고 자다 깨다를 반복했다. 시간이 얼마나 흘렀는지도 몰랐다. 그사이에 온라인 상담을 딱 한 번 받았을 뿐이다. 어느 날인가 잠들었다가 깨어 보니 엄마와 낯선 사람들이 방에 들어와 있었다. 그들이 나를 방 밖으로 끌어냈다. 치료 받자. 치료 받으면 괜찮을 거야. 엄마의 눈에 물기가 배어 있었다. 그들이 나를 어디로 데려가려는지 알 수 있었다. 화장실 좀 다녀올게요. 그들이 잠시 방심한 사이에 베란다로 달려가 상체를 난간 밖으로 내밀었다. 안 가. 절대로 안 가. 차라리 죽어 버릴 거야! 그것이 효과가 있었는지 그들이 주춤주춤 물러섰다.

그날 밤 엄마가 잠들었을 때 가방을 꾸려서 집을 나왔다. 어디로 갈 것인지는 정해 두었다. 엄마가 나중에 작업실로 쓰려고 사둔 빌라. 다섯 달 전까지 세입자가 살다가 나가서 비어 있었다. 편의점에 들러 당분간 먹을 음식과 생필품, 루체의 먹이를 샀다. 누군가가 나를 쫓아오는 것만 같아 종종걸음 쳤다. 비대한 몸은 자주 균형을 잃었고, 그럴 때마다 루체들을 꼭 붙들었다.

한 시라도 빨리 이곳으로 오고 싶었다. 그 외에는 아무것도 떠오르지 않았다. 엄마와 전에 한 번 와 봐서 집의 위치는 알고 있었다. 그새 엄마가 비밀번호를 바꿨을까 봐 조바심이 났다. 다행히 문은 쉽게 열렸다. 현관 안으로 들어섰다. 도어록이 잠기는 소리가 나는 순간, 내 가슴에서도 자물쇠 채워지는 소리가 났다. 집 안은 고요했다. 내 숨소리 외에 아무 소리도 들리지 않았다. 깊은 어둠이 나를 감쌌다. 그 일이 있은 이후 한 번도 맛보지 못했던 해방감을 느꼈다. 이 공간을 아주 오래 기다려 왔다는 생각마저 들었다. 숨어 지내기에 이만한 곳이 있을까. 이 안에서라면 그 어떤 것도 나를 속박하지 않을 것이고, 당분간 누구도 나를 찾아내지 못하겠지. 자리에 눕자 아늑한 꿈속에 들어온 기분이었다.

위층에서 요란한 음악 소리가 들렸다. 아이들이 깔깔거리는 소리에 이어 쿵쿵 발소리가 났다. 천장이 들썩거리는 느낌이었다. 춤이라도 추면서 노는 걸까. 수학여행이나 축제 때와는 또 다른 자유를 만끽하고 있을 터였다. 아이들에게는 때로 그런 시간이 필요했다. 하지만 밤도 깊었는데 이제 그만 돌아가야 하지 않나.

형광등은 더 이상 깜박거리지 않고 거무스름한 빛만 내뿜었다. 저 빛이 사라지는 건 이제 시간 문제였다. 곧 내가 기다리던 고요를 즐길 수 있겠지.

음악 소리가 잠잠해지는가 싶더니 우당탕 뭔가가 부서지고 무너지는 소리가 들렸다. 싸움이라도 하는 건가? 불현듯 가슴이 조마조마했다. 아이들이 어울리다 보면 싸움도 할 수 있지. 애써 마음을 가라앉혔다.

158

어느새 루체가 바닥재에서 나와 집게발을 들어 올렸다.

쟤들 말이야, 불안해서 말이지.

네 코가 석자인데 남 걱정씩이나.

너도 불안해하고 있잖아.

천만에. 쟤들하고 내가 무슨 상관인데?

우주 안의 모든 것은 다 상관있다고 봐야지.

우주? 남의 껍데기에 숨어 사는 주제에 우주 좋아하시네.

내가 숨어 산다고? 천만에, 나는 숨어 사는 게 아니야. 쉘로 나를 지키는 거지.

그럴듯한 말로 포장해도 사실은 달라지지 않아.

그래, 네 말대로 숨어 산다고 치자. 하지만 너와 난 달라. 난 나를 지키기 위해 숨고 넌 너를 망치기 위해 숨는다는 거.

달린 주둥이라고 나불대긴. 그만 닥치시지.

나도 그러고 싶지만 네가 준 특별한 술 덕분에 입이 근질근질해서 말이야.

계속 떠들면 가만 안 놔둘 거야. 넌 내 손 안에 있다는 걸 명심해.

그래, 그렇겠지. 이미 내 친구들도 여럿 죽였고, 나 하나쯤 더 죽이는 건 일도 아니겠지.

내가 네 친구들을 죽였다는 증거라도 있어?

증거? 그거야 네 마음속에 있지. 넌 나와 내 친구들을 무시하고 코웃음 쳤잖아. 한낱 소라게 주제에 탈피? 하면서. 몸이 커지면 탈피하는 우리를 봐줄 수가 없었던 거야. 탈피를 꿈꾸지 않는 너와 달리 탈피하고 새로운 쉘을 찾는 우리가 꼴 보기 싫었던 거라고. 우리를 보면 네 자신이 더 미워졌으니까. 그래서 내 친구들을 괴롭히고, 죽인 거야. 비겁하게.

헛소리 지껄이지 마.

네가 잘라 버린 더듬이는 탈피만 하면 다시 말짱해져. 네가 젓가락으로 찌른 눈도 그렇고.

이번에는 놈이 몸통을 말아 올린 채 실실 웃었다. 더 이상 그 꼴을 보고 싶지 않아 눈을 돌려 버렸다.

네가 나를 사지만 않았어도 우리가 이렇게 아웅다웅하는 일은 없었을 텐데.

무시하고 싶은데 놈의 말이 나를 놓아주지 않았다.

내가 너를 샀다고? 넌 내 사촌이 내 동생한테 사 준 거야.

넌 네가 기억하고 싶은 대로 기억도 조작하고 있어.

너야말로 지껄이고 싶은 대로 지껄이지. 내가 널 샀다는 증거를 대 봐.

인터넷으로 주문했으니까 검색해 봐. 왜 사실을 확인하는 게 겁나나?

순간, 위쪽에서 여자애의 비명 소리가 들렸다. 뭔가 심상치 않은 일이 벌어진 게 틀림없었다. 손이 절로 휴대전화로 갔다. 통화 버튼을 누르다 말고 휴대전화를 내려놓았다. 어떤 경우라도 내가 여기 있는 걸 들켜서는 안 된다. 아니, 내가 쓸데없는 걱정을 하고 있는지도 모른다. 나처럼 운이 나쁜 경우는 드물 테니까. 누구나 사고를 당하는 건 아니니까.

비명 소리 들었잖아. 빨리 신고하지 않고 뭐 해? 쟤 위험에 처했어. 몰랐다면 모를까, 알았으면 마땅히 도와줘야지.

내가 왜 그래야 하는데? 나랑 상관없는 일이야.

그때 누군가가 널 도와줬다면 너도 그런 일을 당하지 않았을 거야.

뭔 개소리야? 남한테 도움 받을 일 같은 건 없었어. 언제나 남의 도움이 필요한 건 너야. 나 아니면 먹을 거 하나도 구하지 못하잖아.

네가 도움 받을 수 있는 상황이 아니긴 했지. 물론, 난 네 도움이 필요한 것도 사실이고.

그러니까 닥치고 꺼져!

충격이 너무 크면 잊고 싶고 실제로 잊히기도 하는 법이지. 백 번 이해해. 일어나서는 안 될 일이었으니까. 하지만 돌이킬 순 없잖아. 이젠 네 스스로 일어설 차례야. 지금이 그 기회야.

너야말로 내가 준 마지막 기회를 잃었어.

나는 놈의 쉘에 술을 들이부었다. 잠시 잠잠해졌던 놈이 남아 있는 더듬이를 세우고 다리를 뻗기 시작했다. 발을 들었다 내렸다 하고 재주라도 부리듯 제멋대로 몸통을 놀렸다. 나를 조롱하는 몸짓이 역력했다. 네가 정 이렇게 나온다면 나도 할 수 없지. 이번에야말로 영영 앞을 볼 수 없게 만들어 주지. 아니, 놈의 숨통을 막고 발을 모조리 잘라 죽이는 걸 상상했다. 찌릿했다. 나는 눈을 감고 숨을 골랐다.

눈을 뜨고 다시 놈을 찾았을 때는 놈이 감쪽같이 사라지고 없었다.

누군가 계단을 내려오는지 발소리가 요란했다. 진작 형광등을 꺼 둘걸 후회가 됐다. 숨을 죽이며 귀를 기울였다.

"문 좀 열어 주세요."

문을 두드리는 여자애의 목소리가 다급했다.

문을 열면 더 이상 여기에서 지낼 수 없을 텐데. 역시 열지 않는 편이 나았다. 하지만 저 애에게 무슨 일이 생기면? 저 애도 나처럼 된다면? 온몸이 떨리고 공포가 덮쳐 왔다. 모든 게 루체 때문이었다. 놈이 쓸데없이 나불대지만 않았어도 이런 갈등 따위 하지 않았을 거였다.

다행히 더 이상 문을 두드리는 소리도 여자애의 목소리도 들리지 않았다.

그런데 놈은 어디로 간 걸까. 나는 호흡이 가빠지고 심장박동이 빨라지는 걸 느꼈다. 가슴에 손을 얹고 벽에 몸을 기댔다. 딱딱

하고 차가운 벽의 기운이 등에 전해져 오고 몸이 떨렸다.

감쪽같이 사라졌던 놈이, 게다가 탈피를 끝낸 놈이 새로운 쉘을 향해 가고 있었다.

쉘을 치워 버릴 거야. 그러면 넌 말랑한 몸통을 주체하지 못하고 죽겠지. 이 젓가락 하나면 넌 끝장이라고.

케이지에 손을 넣은 순간, 놈이 잽싸게 집게발을 뻗어 손가락을 물었다. 다른 손으로 젓가락을 들어 놈의 배를 찍어 누르려는 찰나, 다시 문 두드리는 소리가 났다. 조금 전보다 더 다급했다. 그 소리가 신경을 건드리고 집중을 방해했다. 귓속에서 웅웅 소리가 나고 뭔가가 귀를 후벼 파는 것처럼 귀가 아팠다. 나는 젓가락을 높이 들어올렸다.

잠깐! 난 어떻게 해도 좋아. 하지만 문부터 열어. 지금이 바로 너를 구할 기회야.

개소리!

젓가락을 내려놓고 남은 와인을 모조리 루체에게 쏟아부었다. 놈이 맥없이 버둥거리더니, 잠깐 사이에 발들을 모아 필사의 힘으로 뻗었다. 이제 거의 빛을 잃은 형광등이 놈을 비추었다. 탈피를 한 놈의 다리와 관절 내부의 근육들이 눈에 보이게 작아졌다.

저렇게 발광하다가 곧 숨이 끊어지겠지. 놈을 제거한 뒤 나는 여기에서 살아가면 된다. 언제까지가 될지 모르겠지만 굳이 앞날을 걱정할 필요는 없지. 몇 번인가 꿈틀하던 놈이 드디어 다리를 길게 뻗은 채 널브러졌다. 때맞추어 형광등도 빛을 잃었다. 완벽한 어둠이 나를 감싸 안았다.

"문 좀 열어 주세요."

귀를 막아도 목소리는 더 크게 들렸다. 현관문 대신 창문을 열었다.

비바람이 훅 밀려 들어왔다. 어둠 속에서 나뭇가지들이 춤을 추었다. 내 몸이 따라 움직였다. 문 좀 열어요, 열어 주세요. 제발! 절박하게 외치는 소리가 이어졌다.

지금이 나를 구할 기회라고? 아니, 내가 저 애를 구할 수 있을까.

용기를 내. 용기를 내라고! 루체의 목소리였다. 문 열어! 문을 열란 말이야! 순간, 내 몸 깊은 곳에서 뭔가가 격렬하게 요동치는 기운을 느꼈다. 숨을 깊이 들이마셨다가 천천히 내쉬었다. 그 숨을 따라 루체들이 눈과 코, 입에서 우르르 기어 나왔다. 나는 옴짝달싹하지 못한 채 서 있었다. 문을 열어, 문을 열라고! 어서! 놈들이 내 등을 떠밀었다. 나는 이를 악물고 버텼다. 하지만 자가 증식이라도 한 듯 순식간에 불어난 놈들을 당해 낼 수가 없었다. 아니, 문밖의 목소리가 나를 이끌었다. 문 좀 열어 주세요! 안에 있는 거 다 알아요! 도어록을 잡은 손에 힘이 들어갔다.

문이 열리고, 여자애의 모습이 보였다.

"괜찮아?"

"응. 고마워."

여자애의 목소리가 낯익었다. 나는 여자애를 바라봤다. 순간,
내 눈을 의심했다.

"너, 넌……."

그 여자애는 다름 아닌, 바로 나였다.

작가의 말

운 좋게도 오랜 시간을 아이들 곁에서 아이들의 이야기를 들으며 살고 있다. 그 이야기들을 한 데 모아 놓고 보니, 모두가 제각각이다. 게다가 모두가 어둡고, 어떤 이야기들은 처절하기까지 하다. 일어나지 않았다면 좋았을 일들. 아니, 일어나서는 안 되는 일들까지. 누군가는 왜 하필 이렇게 암울한 이야기냐고 물을지도 모른다. 쓰는 동안 스스로도 수없이 되물었다. 그럼에도 쓸 수밖에 없었던 것은 아이들이 다시 그런 일들을 겪어서는 안 되기에, 안 된다고 말하고 싶어서였다. 나아가 아이들을 위로하고 싶었다. 이제 곧 괜찮아질 거라고.

이 이야기들을 품어 준 '바람의 아이들'과 밝은 눈으로 작품의 높낮이를 다져 주신 편집자께 깊이 감사드린다. 결 고운 언어로 작품을 보듬어 준 조우리 작가와 깊은 샘에서 길어올린 언어의 빛으로 작품의 외진 구석까지 비추어 주신 고종민 선생님께도 각별한 고마움을 전한다. 책이 나오기까지 지켜봐 주고 마음을 모아 준 분들의 고마움을 잊지 못할 것이다. 믿음은 그 자체로 힘이 되었다.

연희 문학창작촌의 고요가 아니었다면 이 이야기들의 숨이 다소 달라졌거나 이야기들이 세상으로 나오는 데 시간이 더 걸렸을 것이다.

유난히 긴 장마와 감염병으로 모두가 힘든 한 해였다. 이제 이 해와도 이별을 준비해야 할 시간이다. 다행히 이 계절의 햇살은 맑고 투명하다. 모두가 꿋꿋이 버텨 이겨 낸 만큼 추운 겨울이 와도 외롭지 않고, 두렵지 않을 거라고 믿는다. 작가의 말을 쓰는 이 시간, 이야기 속의 아이들은 물론, 지금 여기를 살아가는 아이들에게 추울수록 따뜻해지는 마법을 걸어 본다.

2020년 겨울이 오는 길목에서
김혜정